D0254442

rowohlts
monographien
herausgegeben
von
Kurt Kusenberg

Max Planck

mit Selbstzeugnissen
und Bilddokumenten
dargestellt von
Armin Hermann

Rowohlt

Meinen Eltern

Dieser Band wurde eigens für «rowohlts monographien» geschrieben
Die Zeittafel, die Zeugnisse und die Bibliographie besorgte der Autor
Herausgeber: Kurt Kusenberg · Redaktion: Beate Möhring
Schlußredaktion: K. A. Eberle
Umschlagentwurf: Werner Rebhuhn
Vorderseite: Max Planck (Bilderdienst Süddeutscher Verlag, München)
Rückseite: Rückseite der alten 2-DM-Münze

Veröffentlicht im Rowohlt Taschenbuch Verlag GmbH,
Reinbek bei Hamburg, April 1973
Copyright © 1973 by Rowohlt Taschenbuch Verlag GmbH,
Reinbek bei Hamburg
Alle Rechte an dieser Ausgabe vorbehalten
Satz Aldus (Linofilm-Super-Quick)
Gesamtherstellung Clausen & Bosse, Leck
Printed in Germany
880-ISBN 3 499 50198 8

22.–24. Tausend Januar 1984

Inhalt

GAUDEAMUS IGITUR

Am 14. Mai 1867, zweieinhalb Monate vor Ende des Schuljahres, trat Max Planck aus der Sexta der Gelehrtenschule in Kiel in die erste Lateinklasse des Münchener Maximiliansgymnasiums über. Der Vater, Johann Julius Wilhelm von Planck, war einem Ruf auf den Lehrstuhl für Zivilprozeßrecht an der Universität München gefolgt und hatte Frau und sieben Kinder in die bayerische Residenzstadt mitgebracht: aus der ersten Ehe Hugo und Emma und von seiner zweiten Frau, der aus Greifswald stammenden Emma Patzig, die Kinder Hermann, Hildegard, Adalbert, Max und Otto. Die Familie bezog eine geräumige Wohnung in der Briennerstraße 33; von hier aus waren es zehn Minuten zur Universität und zum Max-Gymnasium in der Ludwigstraße.

«Hat alles Zeug zu einem sehr braven Schüler», war das erste Urteil über den neunjährigen Max, und später heißt es: «Tüchtig und liebenswürdig» und «Ein ganz braver, fleißiger und begabter Schüler»[1]*. Immer brachte er vorzügliche Noten nach Hause. In Deutsch stand er auf Zwei, in den Fremdsprachen (Latein, Griechisch, Französisch) auf Eins bis Zwei, in Religion und Mathematik auf Eins. *Ich grüße das Geschick, das mir eine humanistische Bildung hat zu Teil werden lassen. Die griechischen und römischen Klassiker würde ich nicht um die Welt aus meiner Erinnerung entfernt wissen wollen. Ich glaube überhaupt, daß in unserer gegenwärtigen, vorwiegend auf äußere Nützlichkeitsinteressen eingestellten Zeit das humanistische Gymnasium wichtiger ist als je. Denn die Jugend muß darauf hingewiesen werden, daß es noch Genüsse anderer Art gibt als solche, die sich auf materielles Gebiet oder auf Ersparnis von Zeit und Geld beziehen.*[2]

Einen naturwissenschaftlichen Unterricht gab es damals am Maximiliansgymnasium nicht; immerhin gehörte zum mathematischen Lehrstoff der Abiturklasse neben «geometrischer Konstruktion algebraischer Ausdrücke» und «populärer Astronomie» auch die «Mechanik»: *Mit der Physik kam ich zuallererst in Berührung . . . durch meinen Mathematiklehrer Hermann Müller, einen mitten im Leben stehenden, scharfsinnigen und witzigen Mann, der es verstand, die Bedeutung der physikalischen Gesetze, die er uns Schülern beibrachte, durch drastische Beispiele zu erläutern. So kam es, daß ich als erstes Gesetz, welches unabhängig vom Menschen eine absolute Geltung besitzt, das Prinzip der Erhaltung der Energie, wie eine Heilsbotschaft in mich aufnahm. Unvergeßlich ist mir die Schilderung, die Müller uns als Beispiel der potentiellen und der kinetischen Energie zum besten gab, von einem Maurer, der einen schweren Ziegelstein mühsam auf das Dach eines Hauses hinaufschleppt. Die Arbeit, die er dabei leistet, geht nicht verloren: sie bleibt unversehrt aufgespeichert, jahrelang, bis vielleicht eines Tages der Stein sich löst und einem vorübergehenden Menschen auf den Kopf fällt.*[3]

Früh zeigte sich – wie Günther Graßmann, ein Verwandter Plancks, berichtete – die zweite Seite der reichen Begabung: «Mit absolutem Gehör

---

* Die hochgestellten Ziffern verweisen auf die Anmerkungen S. 130 f.

Die Eltern: Prof. Johann Julius Wilhelm von Planck und Frau Emma, geb. Patzig

begabt, sang er in den Knabenchören der großen Oratorien Sopran und spielte Orgel in Gottesdiensten. In den befreundeten Familien von Paul Heyse, Hornstein, Wölfflin wurde viel Theater gespielt, und für solche Liebhaberaufführungen hat er Lieder und kleine Stücke komponiert. Auch die Liebe zu den Bergen ... hat ihre Wurzeln in den Eindrücken seiner Jugendjahre. Vater Planck liebte es, mit all den Seinen und womöglich noch mit befreundeten Familien für mehrere Sommerwochen in ein entlegenes und damals noch ganz einsames Dorf im nördlichen oder südlichen Tirol zu ziehen und in ausgedehnten Touren die nahe und weite Umgebung zu durchforschen.»[4] Frühzeitig wurde Planck daran gewöhnt, sich auch körperlich hohe Leistungen abzuverlangen und in eine strenge geistige Zucht zu nehmen.

München bedeutete ihm viel als Stadt der Künste. Im Politischen stand er dagegen in der preußisch-deutschen Tradition. Zu seinen frühesten Kindheitserinnerungen gehörte der Einzug der preußischen Truppen in Kiel am 25. Januar 1864. Das im Deutsch-Dänischen Krieg in Schleswig-Holstein aufwallende Nationalgefühl und der sehnsüchtige Wunsch nach

der nationalen Einheit des deutschen Vaterlandes hatten den empfängli-
chen Knaben tief beeindruckt. Als dreizehnjähriger Schüler des Maximiliansgymnasiums in München erlebte er den Krieg von 1870/71, erfuhr
die Nachricht vom Tod seines Bruders Hermann in der Schlacht bei Orlé-
ans und von der Gründung des Deutschen Kaiserreiches. Er fühlte sich
*eines Sinnes mit den Helden, die die Wahrhaftigkeit ihrer Liebe zum
Vaterland mit ihrem Herzblut besiegelten*[5].

Fast jedes Jahr war es Max Planck, der «den Preis aus der Religionslehre
und dem sittlichen Betragen» erhielt: «Macht durch sein artiges, bescheidenes Benehmen einen sehr guten Eindruck.»[6] Die Beliebtheit bei den Lehrern neideten ihm die Klassenkameraden nicht, denn er hatte seine bevor-
zugte Stellung nicht durch Strebertum und Schmeichelei erreicht, sondern
weil er sich so gab, wie er war: pflichtbewußt, offen und fröhlich.

Den Mitschülern war er ein verläßlicher Freund. *Gegen Mißhelligkeiten
habe ich gemeinsam mit meinen Kameraden die entsprechenden Schutz-
maßregeln gefunden.* Wie später im Leben hatte er an der Schule keinen
Feind. «Mit Recht der Liebling seiner Lehrer und seiner Mitschüler, der
Jüngste der Klasse (14 Jahre, 3 Monate) und bei aller Kindlichkeit ein sehr
klarer, logischer Kopf. Verspricht etwas Rechtes»[7], stand im Zeugnis der
zweiten Gymnasialklasse.

Die Klassenkameraden waren die Söhne bekannter Münchener Familien. Da gab es etwa den Sohn Karl des Bankiers Heinrich Merck, der sein
Schwager werden sollte, und Oskar Miller (damals noch ohne «von»), den
späteren Gründer des Deutschen Museums. Miller war den Lehrern eine
rechte Plage: «Nicht ohne Talent. Schnell fertig und richtig in seinem
Urteil; hört mit einem Ohr mehr als andere auf zwei, aber die personifi-
zierte Unordnung, ohne allen Fleiß und ohne Aufmerksamkeit, den Unterricht stets störend, ein Hemmschuh für die Klasse.»[8] Während sich Miller
gegen die strenge Disziplin aufbäumte, ordnete sich Planck mühelos ein.
Fast regelmäßig wurde im Zeugnis die «Bravheit» hervorgehoben. Er
akzeptierte die Autorität der Schule – wie später die Autorität des Lehrge-
bäudes der Physik. Gänzlich wider eigenen Willen führte ihn die Konsequenz seines Denkens um die Wende zum 20. Jahrhundert zur geistigen
Revolution.

Im Juli 1874 – im Alter von 16 Jahren und drei Monaten – bestand
Planck das Absolutorium. Die Eltern freuten sich über das vorzügliche
Zeugnis und über die Bemerkungen im Jahresbericht der Schule: «Im
Orgelspiel bei sonn- und festtäglichen Gottesdiensten hat Max Planck sich
durch Geschicklichkeit und Fleiß ausgezeichnet . . . Bei Ensembleübungen
im Klavierspiel hervorgetan: Max Planck . . . Am Violoncell-Unterricht
beteiligten sich fünf Schüler, wovon Auszeichnung verdient: Max
Planck.»[9]

Der vielseitig Begabte schwankte, ob er Musik, Altphilologie oder Physik studieren solle. Als er sich nach den Aussichten eines Musikstudiums
erkundigte, erhielt er von seinem Professor die Antwort: «Wenn Sie schon
fragen, studieren Sie etwas anderes!» Auch der Münchner Physiker Philipp von Jolly riet dringend ab: In der Physik sei im wesentlichen schon
alles erforscht, und es gebe nur noch einige unbedeutende Lücken auszu-

füllen. Ähnlich betrachtete damals der berühmte Berliner Physiker und Physiologe Emil Du Bois-Reymond die mechanische Theorie, an der Spitze das Energieprinzip, als den Höhepunkt und endgültigen Schlußstein der Physik.

Am Ende des 19. Jahrhunderts war eine konservative Einstellung typisch für das Bürgertum in Europa. Sowohl die staatliche Ordnung als auch die Wissenschaft wurden als gefestigt gesehen; nach einer stürmischen Aufbauphase glaubte man nun an die Erhaltung des Bestehenden. In diesem «Denkklima» formten sich Plancks Auffassungen. Es hat eines ungeheuren inneren Kampfes, einer großen Selbstüberwindung bedurft, um später diese Überzeugungen zu revidieren. Schmerzlich empfundene Erfahrungen lehrten ihn, daß weder das Gebäude der Wissenschaft noch das Gebäude des Staates als unantastbar betrachtet werden durften.

Vom Rat Jollys glücklicherweise unbeeinflußt, immatrikulierte sich

Planck zum Wintersemester 1874/75 in der Philosophischen Fakultät der Universität München. *Ich hätte ebensogut Philologe oder Historiker werden können. Was mich zur exakten Naturwissenschaft geleitet hat, war ein mehr äußerlicher Umstand, nämlich ein mathematisches Kolleg, das ich an der Universität hörte und das mich innerlich befriedigte und anregte (von dem Professor der Mathematik Dr. Gustav Bauer). Daß ich nicht zur reinen Mathematik, sondern zur Physik überging, lag an meinem tiefen Interesse für Fragen der Weltanschauung, die natürlich nicht auf rein mathematischer Grundlage gelöst werden können.*[10]

Wie seine Brüder vor ihm trat auch Planck dem Akademischen Gesangverein, dem AGV, bei. Er wirkte als zweiter Chormeister, als Komponist und Solist und trat auf der Bühne in Frauenrollen auf, für die er durch seine hohe Stimme und seine schlanke Gestalt wie geschaffen war. Einmal spielte man die Operette «Riccardo, der berühmte Räuberhauptmann, oder Das unglückselige Flötenspiel», bei der Planck die Rolle der Gräfin Miranda übernommen hatte: «Seine perlende Koloratur, sein degagiertes Spiel ließen sofort die prima donna assoluta erkennen.»

Zu Beginn des Wintersemesters 1876/77 wurde bei der Antrittskneipe der Aktivitas die von ihm komponierte Operette «Die Liebe im Walde» aufgeführt: «Jeder staunte ... die heiteren und lieblichen Melodien zu hören, welche unser kunstgeübter Chormeister ... den Mitwirkenden in den Mund gelegt hatte.»[11] Im Rückblick betont die Vereinszeitung des AGV, daß es sich «nicht um Studentenulk und Jugendallotria oder ... um einen gut gemeinten Dilettantismus handelte. Seine Leistungen als Komponist, Sänger, Klavier- und Orgelspieler waren vielmehr hochzubewertende Äußerungen einer mit dem absoluten Gehör begabten, außergewöhnlichen musikalischen Anlage und eines nicht geringen technischen Könnens.»

Im Akademischen Gesangverein freundete sich Planck mit dem um zwei Jahre älteren Carl Runge an, der ebenfalls Mathematik und Physik studierte. «Du kannst Dir nicht denken, was für nette Menschen ich hier zu meinen Freunden zähle», schrieb Runge an seine Mutter, «ebenso tüchtig und talentvoll wie anspruchslos und unaffektiert.»[12]

Mit zwei Studienkollegen zog Planck im Frühjahr 1877 auf eine Fußtour nach Italien. Carl Runge blieb vorerst noch in München; er mußte, wie Iris Runge, seine Tochter und spätere Biographin, berichtete, noch eine Vorlesung nacharbeiten:

«Auf der ganzen Tour über Venedig, Florenz und Genua wurden launige Karten mit dem in München zurückgebliebenen Freunde gewechselt; endlich Ende März traf Runge in Mailand mit ihnen zusammen. Zu vieren bewunderten sie nun die Mailänder Kunstschätze ... hörten Musik in der Scala und wandten sich dann weiter, anderen Städten und Gegenden zu: Pavia, Comer und Luganer See, Lago Maggiore, Brescia und Gardasee. Die eigentümlich zickzackförmige Reiseroute zeugt von der goldenen Freiheit, die über dem ganzen Unternehmen schwebte; man folgte seinen Eingebungen ohne langes Besinnen. Einmal trieb sie Regenwetter in Como dazu, den Zug nach Mailand zu besteigen. Während der Fahrt kam die Sonne wieder heraus: schleunigst ‹schwangen wir uns wie Baron von Münchhau-

stud. phil. Max Planck in Berlin, 1878

sen auf einen von Mailand kommenden Zug und rutschten nach Como zurück». Längs der malerischen Uferstraßen des Comer und Luganer Sees wurden weite Fußmärsche gemacht und manche Höhe mit wundervoller Aussicht bestiegen. Dazwischen fuhr man im Boot über den See oder genoß mit Entzücken die blühenden Gärten von Bellagio, Villa Carlotta und Isola Madre.

Der ganz besondere Reiz dieser Reise lag zum guten Teil in dem Zusammensein mit den gleichgesinnten Freunden. Während der stundenlangen Wanderungen entspannen sich häufig philosophische Diskussionen, meistens zwischen Planck und Runge, die sich hier erst ganz freundschaftlich nahekamen. Ihnen beiden war das Streben gemeinsam, sich einen Standpunkt zu erringen, von wo die Welt als Ganzes überblickt werden kann. Eine einseitige Beschränkung des Blickfeldes auf ihr naturwissenschaftliches Fach konnte ihnen nicht genügen. Planck war von den beiden der schlichtere und stillere; sein wissenschaftliches Interesse war einheitlicher und strebte mit gesammelter Kraft seinen Gegenstand bis in die letzte Tiefe zu erfassen. Die Kühnheit der Gedanken Runges konnte den erst neunzehnjährigen Planck zuweilen fast erschrecken, wenn Runge z. B. Fragen aufwarf wie die, ob die christliche Kirche der Welt mehr genützt oder geschadet habe? Planck, der viel mehr traditionsgebunden aufgewachsen war, wäre auf solche Gedanken nicht gekommen.» [13]

Zum Winter 1877/78 ging Planck nach Berlin. Die Friedrich-Wilhelms-Universität (die später für über fünfzig Jahre Plancks geistige Heimat werden sollte) war die führende deutsche Hochschule. Hier herrschte ein fast beängstigend reger wissenschaftlicher Betrieb: «Die Professoren lesen in viel zu kleinen Hörsälen (vermutlich weil sie keine größeren haben), so daß, einstweilen wenigstens, alles bis zum letzten Platz besetzt ist und noch viele stehen; um 10 muß man sich in der Vorhalle der Universität durchdrängen wie vor einem Bahnhofsschalter um Pfingsten.» [14] So schrieb Heinrich Hertz, der zur gleichen Zeit in Berlin studierte, in sein Tagebuch. Kennengelernt hat Planck seinen kongenialen Kollegen erst einige Jahre später.

In Berlin waren seine akademischen Lehrer die berühmten Physiker Hermann von Helmholtz und Gustav Kirchhoff:

Allerdings muß ich gestehen, daß mir die Vorlesungen keinen merklichen Gewinn brachten. Helmholtz hatte sich offenbar nie richtig vorbereitet, er sprach immer nur stockend, wobei er in einem kleinen Notizbuch sich die nötigen Daten heraussuchte, außerdem verrechnete er sich beständig an der Tafel, und wir hatten das Gefühl, daß er sich selber bei diesem Vortrag mindestens ebenso langweilte wie wir. Die Folge war, daß die Hörer nach und nach wegblieben; schließlich waren es nur noch drei, mich und meinen Freund, den späteren Astronomen Rudolf Lehmann-Filhés, eingerechnet.

Im Gegensatz dazu trug Kirchhoff ein sorgfältig ausgearbeitetes Kolleg-heft vor, in dem jeder Satz wohl erwogen an seiner richtigen Stelle stand. Kein Wort zu wenig, kein Wort zu viel. Aber das Ganze wirkte wie auswendig gelernt, trocken und eintönig. Wir bewunderten den Redner, aber nicht das, was er sagte. Unter diesen Umständen konnte ich mein

13

Bedürfnis nach wissenschaftlicher Fortbildung nur dadurch stillen, daß ich zur Lektüre von Schriften griff, die mich interessierten, und das waren naturgemäß solche, die an das Energieprinzip anknüpften. So kam es, daß mir die Abhandlungen von Rudolf Clausius in die Hände fielen, deren wohlverständliche Sprache und einleuchtende Klarheit mir einen gewaltigen Eindruck machten und in die ich mich mit wachsender Begeisterung vertiefte. Insbesondere würdigte ich die von ihm gegebene genaue Formulierung der beiden Hauptsätze der Wärmetheorie und die erstmalige Durchführung ihrer scharfen Trennung voneinander.[15]

Der erste Hauptsatz der Wärmetheorie war gleichbedeutend mit dem Satz von der Erhaltung der Energie, der als das wichtigste physikalische Gesetz überhaupt galt. Schon auf der Schule hatte Planck das Prinzip «wie eine Heilsbotschaft» aufgenommen. Nun erkannte er die Bedeutung des zweiten Hauptsatzes, und er beschloß, das Thema zu seiner Doktordissertation auszugestalten.

Fast gleichzeitig wurde Heinrich Hertz von Helmholtz zur Bearbeitung einer Preisarbeit angeregt. Während Hertz durch den großen Helmholtz in das Gebiet der Elektrodynamik eingeführt wurde (wo er bald Hervorragendes leisten sollte), war für Planck mit der Wahl des Doktorthemas das Schicksal besiegelt, seinen Weg allein gehen zu müssen. *Mir ist nicht das Glück zuteil geworden, daß ein hervorragender Forscher oder Lehrer in persönlichem Verkehr auf die spezielle Richtung meines Bildungsganges Einfluß genommen hat. Was ich darin gelernt habe, entstammt ausschließlich dem Studium der Schriften unserer Meister, unter denen ich vor allem die Namen Hermann von Helmholtz, Rudolf Clausius, Gustav Kirchhoff dankbar in Ehren halte.*[16]

In dem Berliner Jahr hatte sich sein wissenschaftlicher Horizont beträchtlich erweitert. *Nach München zurückgekehrt, bestand ich im Oktober 1878 das Lehramtsexamen für Mathematik und Physik und war in Folge dessen einige Wochen lang am kgl. Maximiliansgymnasium aushilfsweise thätig.*[17] Planck vertrat seinen früheren Mathematiklehrer Hermann Müller, worüber in den Schulakten steht, daß «Kandidat Planck den Unterricht zur Zufriedenheit des Rektorats erteilte und Geschick in der Behandlung des Lehrstoffes und der Schüler bewies».

Am 12. Februar 1879 reichte Planck die fertige Doktordissertation ein; am 30. Mai fand dann im Sitzungszimmer der philosophischen Fakultät das «Examen rigorosum» statt. «Die drei schriftlichen Fragen aus der Physik als Hauptfach hatte Herr Professor von Jolly . . . verschlossen übersendet. Demgemäß eröffnete der Dekan [wie er selbst im Protokoll festhielt] in Gegenwart des Candidaten um 3 Uhr die Fragen für das schriftliche Examen, mit deren Bearbeitung sich Herr Planck unter Respicienz des Dekanes bis 5 Uhr beschäftigte.»[18] Auf fünf Kanzleibogen hat Planck die Lösung der Aufgaben klar und übersichtlich angegeben. Heute erscheinen uns freilich die gestellten Probleme (harmonische Schwingung, Hygrometerprinzip, Weatstonesche Brücke) allzu einfach; wir dürfen aber nicht vergessen, daß Planck damals erst 21 Jahre zählte, ein Alter, in dem man heute das Vordiplom ablegt.

«Hierauf wurde die mündliche Prüfung zunächst in Mathematik, als

Curriculum vitae.

Ich, Max Karl Ernst Ludwig Planck, Sohn des kgl. Universitätsprofessors Johann Julius Wilhelm von Planck und der Frau Emma, geb. Patzig, wurde am 23. April 1858 in Kiel geboren und im evangelisch-lutherischen Glaubensbekenntnis erzogen. Nachdem ich dort die untersten Klassen des Gymnasiums durchgemacht hatte, wurde ich, als mein Vater im Frühjahr 1867 einem Rufe an die Universität München folgte, in die 1. Lateinklasse des kgl. Maximiliansgymnasiums aufgenommen, welches ich im Sommer 1874 absolvierte. Die 3 folgenden Jahre besuchte ich als Kandidat der Mathematik und Physik an der kgl. Ludwigs-Maximiliansuniversität zu München die Vorlesungen der Herren Professoren Dr. von Jolly, Dr. Seidel und Dr. Bauer, mit Ausnahme des Sommersemesters 1875, welches ich aus Gesundheitsrücksichten nach ärztlicher Anordnung auf Reisen verbrachte, wogegen ich für das 4. Universitäts-Jahr die Universität Berlin bezog. Nach München zurückgekehrt bestand ich im Oktober 1878 das Lehramtsexamen für Mathematik und Physik und war in Folge dessen einige Jahre lang am kgl. Maximiliansgymnasium aushilfsweise thätig, während ich mich zugleich als Aktuarem an der Universität immatrikulieren ließ.

München, den 14. Februar 1879.

Max Planck
gpr. Lehramtskandidat.

Lebenslauf, aufgeschrieben bei der Meldung zur Doktorprüfung

dem einen Nebenfach, durch Professor Bauer begonnen ... Um 5¾ Uhr schloß sich darauf die Prüfung in der Physik als Hauptfach durch Prof. von Jolly an und wurde fortgesetzt bis 6¼ Uhr, worauf Prof. Baeyer mit der Prüfung in Chemie den Beschluß machte.»[19] *Jolly richtete an mich sehr leichte Fragen. Auch die Fragen von Baeyers waren mühelos zu beantworten; doch habe ich gerade diese Prüfung in wenig angenehmer Erinnerung, da er mich ziemlich schnöde behandelte und durchblicken ließ, daß er die theoretische Physik für ein vollkommen überflüssiges Fach hielt.*[20]

15

Fragen aus der Physik.

1, Es soll das Gesetz der Bewegung eines Punktes bestimmt werden, der nach der Gleichgewichtslage gedrückt einer Beschleunigung unterliegt, welche direkt proportional ist der Entfernung des Punktes von der Gleichgewichtslage.

Nimmt man die Gleichgewichtslage des Punktes zum Anfangspunkt der Coordinaten O und die Richtung, in welcher der Punkt anfänglich aus dieser Lage verschoben ist, zur positiven Seite der Abscissen, so sei die Strecke, um welche der Punkt anfänglich von O verschoben würde, mit a bezeichnet.

Dann ist die Lage des Punktes am Anfang der Bewegung durch die Gleichung $x = a$ gegeben.

Bezeichnet man die Größe der wirkenden Kraft in der Entfernung 1 des Punktes von O mit c, so ist dieselbe für die Entfernung x des Punktes von O durch $-c x$ gegeben, da ihre Richtung stets nach dem Anfangspunkt zu gerichtet ist. (c constant)

Wenn also die Masse des Punktes m ist, so hat man für die Beschleunigung:

$$m \cdot \frac{d^2x}{dt^2} = -c \cdot x$$

oder: $$m \cdot \frac{d^2x}{dt^2} \cdot \frac{dx}{dt} \cdot dt = -c \cdot x \, dx$$

Integrirt: $$\frac{1}{2} m \left(\frac{dx}{dt}\right)^2 = -\frac{c}{2} x^2 + C$$

Die Integrationsconstante bestimmt sich dadurch, daß für $x = a$

$\frac{dx}{dt} = 0$, folgt, hat man:

$$m \left(\frac{dx}{dt}\right)^2 = c \cdot \left(a^2 - x^2\right)$$

Hierdurch ist für jede Lage des Punktes seine Geschwindigkeit $\frac{dx}{dt}$ gegeben; zugleich sieht man aus dieser Gleichung, daß x^2 nie größer als a^2 werden kann.

Schriftliche Doktorprüfung, erste Manuskriptseite

Das Rigorosum war damit beendet. «Hiernächst wurde in collegialer Berathung das Bestehen der Prüfung festgestellt, und es wurde dem Candidaten die Note I summa cum laude zuerkannt.» Vier Wochen später, am 28. Juni, folgte als öffentliche Veranstaltung in der Aula der Universität die feierliche Promotion mit der Verteidigung von sechs Thesen.

Meine Opponenten, mit denen ich natürlich, wie es üblich war, bereits vorher eine freundschaftliche Vereinbarung getroffen hatte, waren der Physiker Carl Runge und der Mathematiker Adolf Hurwitz.

Bereits ein Jahr nach der Promotion erfolgte meine Zulassung in München als Privatdozent. In der Habilitationsschrift, die den Titel trug: «Gleichgewichtszustände isotroper Körper», *wurden die allgemeinen Ergebnisse der Doktordissertation zur Lösung einer Reihe konkreter thermodynamischer (speziell physikalisch-chemischer) Probleme herangezogen.*[21] Über die Habilitation mit Probevorlesung und Disputation heißt es im Kanzleistil der Fakultätsakten: «Montag, den 14ten Juni, fand nach Ergehen der vorschriftsmäßigen Einladungen die öffentliche Probevorlesung über das von dem Gesuchsteller 3 Tage vorher durch das Loos gewählte von Herrn Professor v. Jolly gegebene Thema ‹Über die Prinzipien der mechanischen Gastheorie› und die daran sich knüpfende öffentliche Disputation statt. Die Probevorlesung dauerte von $4\frac{1}{4}$ bis $4\frac{3}{4}$ Uhr; die hierauf folgende Disputation über Sätze aus der Habilitationsschrift und der Probevorlesung von $4\frac{3}{4}$ bis $5\frac{1}{2}$ Uhr. An der Disputation betheiligten sich die Herren v. Jolly, Seidel und Bauer. Nach Schluß des öffentlichen Habilitationsaktes trat die Fakultät in Berathung über das Resultat desselben. Es wurde dasselbe einstimmig als ein in hohem Maße befriedigendes bezeichnet.»[22]

Der Zweiundzwanzigjährige hatte damit die höchste akademische Prüfung erfolgreich bestanden; durch die Habilitation gehörte er – wie man es damals sah – zum exklusiven Kreis der Universitätslehrer. Die so ehrenvolle Privatdozentur war aber unbesoldet, und wie als Schüler und Student lebte er weiter bei den Eltern. «Die Familie bezog eine Wohnung im 2. Stock des Hauses Barerstraße 48, gegenüber der Neuen Pinakothek, die damals am Rande der Stadt zwischen Gärten und Feldern lag», berichtete Günther Graßmann: «Da waren an der Straßenfront zwei große Zimmer mit hellen, bis zum Boden reichenden Fenstern, Eßzimmer und Salon, in dem ein kleiner Flügel stand, nach rückwärts zu Hof und weiträumigem Garten die kleinen Schlafräume und dann noch ein riesiger Raum, der die Bibliothek enthielt. Alles mit schönen, aber im Ganzen schlichten Biedermeiermöbeln ausgestattet, die Schlafzimmer fast spartanisch karg. Die aufwendigere Ausstattung der Gründerzeit hat hier niemals Eingang gefunden. Im Geist dieses Hauses war die Grundhaltung vorgeprägt, der Max Planck ohne inneren Bruch sein Leben lang treu bleiben konnte: Eine ethisch fundierte Wissenschaftlichkeit, Pflichterfüllung und Ordnung, eine tiefe evangelische Frömmigkeit, Liebe und Pflege der Kunst, besonders der Musik und schließlich Freude am Wandern und Bergsteigen.»[23]

Seine Aufgabe sah der junge Privatdozent nun darin, sich einen Namen in der Wissenschaft zu schaffen. *Nicht ohne Enttäuschung mußte ich fest-*

stellen, daß der Eindruck meiner Doktordissertation wie auch meiner Habilitationsschrift in der damaligen physikalischen Öffentlichkeit gleich Null war. Von meinen Universitätslehrern hatte, wie ich aus Gesprächen mit ihnen genau weiß, keiner ein Verständnis für ihren Inhalt ... Aber auch bei den Physikern, welche dem Thema an sich näherstanden, fand ich kein Interesse, geschweige denn Beifall. Helmholtz hat die Schrift wohl überhaupt nicht gelesen. Kirchhoff lehnte ihren Inhalt ausdrücklich ab ... An Clausius gelang es mir nicht heranzukommen, er war in persönlicher Beziehung sehr zurückhaltend. Ein einmal unternommener Versuch, mich ihm in Bonn vorzustellen, führte zu keinem Ergebnis, weil ich ihn nicht zu Hause antraf.[24]

Solche Erfahrungen hinderten mich jedoch nicht, tief durchdrungen von der Bedeutung dieser Aufgabe, das Studium der Entropie, die ich neben der Energie als die wichtigste Eigenschaft eines physikalischen Gebildes betrachtete, weiter fortzusetzen. Da ihr Maximum das endgültige Gleichgewicht bezeichnet, so ergaben sich aus der Kenntnis der Entropie alle Gesetze des physikalischen und des chemischen Gleichgewichts. Dies führte ich in den folgenden Jahren in verschiedenen Arbeiten im einzelnen durch, zuerst für Aggregatzustandsänderungen, dann für Gasgemische und endlich für Lösungen. Überall zeigten sich fruchtbare Ergebnisse.[25]

Das lange Warten auf eine Professur war hart für den jungen Privatdozenten. Denn wenn ich auch im Elternhaus das denkbar schönste und behaglichste Leben führte, so war der Drang nach Selbständigkeit doch immer stärker in mir geworden, und ich sehnte mich nach der Gründung eines eigenen Haushaltes. Er war verlobt mit einem reizvollen, künstlerisch hochbegabten Mädchen, Marie Merck, der Tochter des Bankiers Merck. An eine Heirat denken durfte Planck aber nicht, solange er nicht über ein sicheres eigenes Einkommen verfügte. Gegen die Konventionen der bürgerlichen Gesellschaft zu rebellieren, war nicht Plancks Sache.

Als endlich der ersehnte erste Ruf eintraf, war es eine Enttäuschung: die Forstakademie in Aschaffenburg. Hier mußte er befürchten, als Physiker wissenschaftlich isoliert zu bleiben. Annehmen? Ablehnen? Planck setzte sich in den Zug nach Berlin, holte Rat bei Helmholtz – und beschloß, weiterhin zu warten.

Die Prognose, die Helmholtz der zukünftigen Entwicklung der theoretischen Physik stellte, war überaus günstig. An den deutschen Universitäten wurden neben dem planmäßigen Lehrstuhl für Physik nach und nach außerordentliche Professuren geschaffen. Aus finanziellen Gründen waren damit aber keine eigenen Laboratorien verbunden, woraus sich von selbst eine Bestimmung für die Theorie ergab. (Die Gründung dieser Stellen war, wie sich später herausstellte, eine wesentliche Voraussetzung für das von der Jahrhundertwende an beginnende «goldene Zeitalter der deutschen Physik». Der von Planck und Einstein mit Quantenkonzept und Relativitätstheorie eingeleitete große Aufschwung stützte sich auf die jungen Theoretiker, die es in so großer Zahl nur in Deutschland gab.)

Anfang des Jahres 1883 hoffte auch die kleine Universität Kiel auf ein Extraordinariat für Physik. Die Philosophische Fakultät ließ sich von den

Einladung zur feierlichen Promotion

Berliner Kollegen den jungen Heinrich Hertz empfehlen. Hertz habilitierte sich daraufhin in Kiel, und die Universität hatte damit zunächst einmal einen Privatdozenten – und nach Bewilligung der Professur auch gleich einen geeigneten Kandidaten.

Bis die Stelle endlich im Staatshaushaltsplan ausgebracht war, hatte Hertz schon einen Ruf nach Karlsruhe erhalten und angenommen. Die Kieler Fakultät zog also erneut Erkundigungen ein und stieß dabei auf Planck, der «unter den jüngeren Docenten der theoretischen Physik die längste und erfolgreichste Tätigkeit aufzuweisen» hatte. Am 5. Februar 1885 ging der Berufungsvorschlag an den Minister, und schon am 10. April kam es, anläßlich einer Reise des preußischen Universitätsreferenten Friedrich Althoff nach München, zur Verhandlung und raschen Einigung. *Den Augenblick, da mich der Ministerialdirektor Althoff zu sich in das Hotel Marienbad bestellte und mir die näheren Bedingungen mitteilte, zähle ich zu den glücklichsten meines Lebens.*[26] Althoff, der Menschenkenner, notierte: «Herr Dr. Planck hat mir einen außerordentlich günstigen Eindruck gemacht, sowohl durch sein bescheidenes Wesen, wie durch

19

Klarheit und Bestimmtheit in der Erörterung wissenschaftlicher Probleme.»[27]

Am 2. Mai 1885 erhielt Planck die Bestallung zum außerordentlichen Professor an der Universität Kiel «in dem Vertrauen, daß derselbe Seiner Majestät dem Könige und dem Königlichen Hause in unverbrüchlicher Treue ergeben bleiben . . . werde». Dieses Gelöbnis hat er nicht als Formel, sondern als Verpflichtung empfunden. Obwohl das Gehalt nur 2000 Mark jährlich betrug (wozu noch ein Wohnungsgeldzuschuß kam), war nun die solide Grundlage für den eigenen Hausstand geschaffen. Am 31. März 1887 endlich konnte der Neunundzwanzigjährige seine Vermählung mit der um drei Jahre jüngeren Marie Merck anzeigen.

Die theoretische Physik, später die Schicksalswissenschaft des 20. Jahrhunderts, war damals, als Planck in Kiel seine Vorlesungen hielt, noch ein kleines, wenig beachtetes Fach. Schon der Vorgänger Heinrich Hertz hatte unter dem geringen Interesse gelitten: «Kolleg leer gefunden. Große Verstimmung», heißt es bei ihm einmal im Tagebuch. Planck ging es nicht viel besser. *Mittwoch fangen die Collegien an, leider ist der Zugang an Studierenden bis jetzt minimal.*

Um so mehr Zeit blieb für die Wissenschaft. Die Arbeiten fanden langsam Anerkennung: *Eilhard Wiedemann hat mich für das Referat über mechanische Wärmetheorie gekeilt, wahrscheinlich werde ich es übernehmen . . . Seit dem 9. März 1888 habe ich auch noch ein anderes Amt angetreten, nämlich das eines Vaters. Meinen Buben nehme ich in den Ferien mit ins Gebirge.*[28]

Die Familie seiner Frau besaß am Tegernsee ein herrlich gelegenes Anwesen, den Grundnerhof, wo Planck regelmäßig die ersten beiden Wochen der Semesterferien im Sommer verbrachte, um sich für die Hochgebirgstouren zu akklimatisieren. Der Mercksche Besitz wurde den Kindern Karl, den Zwillingstöchtern Emma und Grete und dem Jüngsten, dem 1893 geborenen Erwin, zur zweiten Heimat.

Privatdozent in München

PROFESSOR IN BERLIN

Systematisch setzte er die Untersuchungen über den zweiten Hauptsatz der Wärmetheorie fort. «Die Planckschen Arbeiten unterscheiden sich sehr vorteilhaft von denen der größten Zahl seiner Mitarbeiter dadurch, daß er vorzugsweise die strengen Konsequenzen der Thermomechanik ohne Einmischung anderer Hypothesen oder unter sorgfältiger Scheidung des Sicheren und des Zweifelhaften durchzuführen sucht. Dabei sind seine Arbeiten doch sehr fruchtbar und zeigen ihn durchaus als einen Mann von originalen Gedanken, der sich seine eigenen Bahnen macht. Seine in Göttingen gekrönte Preisarbeit über das Gesetz von der Konstanz der Energie und einzelne Arbeiten aus anderen Zweigen der mathematischen Physik zeigen, daß er einen umfassenden Überblick über die verschiedenen Abschnitte dieser Wissenschaft hat. Über seine Fähigkeit als Lehrer haben

Max Planck und Marie Merck

wir durchaus günstige Berichte aus Kiel erhalten.»[29] So steht es im Berufungsvorschlag der Philosophischen Fakultät der Friedrich-Wilhelms-Universität vom 29. November 1888.

Als Nachfolger Kirchhoffs hatte die Berliner Fakultät primo loco Heinrich Hertz vorgeschlagen, der durch seine kaum zwei Jahre zurückliegende Entdeckung der elektrischen Wellen mit einem Schlage berühmt geworden war. Aber Hertz entschied sich für Bonn – und Althoff erteilte den Berliner Ruf an den an zweiter Stelle stehenden Max Planck. Nach nur vierjähriger Tätigkeit in Kiel kam er am 1. April 1889 in die Reichshauptstadt an die führende Hochschule des Landes. Er blieb zunächst Extraordinarius, denn man war sparsam in Preußen; drei Jahre später wurde er dann zum Ordinarius ernannt. *Ich war damals 30 Jahre alt ... Natürlich trat ich sogleich in die Physikalische Gesellschaft ein ... Die geistige Spitze wurde repräsentiert durch den Begründer und durch den ersten Präsidenten der Physikalisch-Technischen Reichsanstalt: Werner von Siemens und Hermann von Helmholtz.*[30] Die Gesellschaft zählte damals 227 Mitglieder.

Die Sitzungen fanden im Physikalischen Institut der Universität *oben in dem kleinen Bibliotheksraum statt. Am Ende des langen schmalen Tisches saß der Vorsitzende, neben ihm stand auf einem Holzgestell die kleine schwarze Tafel ... Meinen ersten Vortrag hielt ich im Frühjahr 1890 über Potentialdifferenz zweier Elektrolyte. Damals hatte Nernst seine grundlegende Theorie der Elektrizitätserregung in Elektrolyten aufgestellt, und ich hatte aus dieser Theorie eine Formel für die Potentialdifferenz abgeleitet, welche die vorliegenden Messungen gut wiedergab. Als mir nun Herr Kollege Nernst in einem freundlichen Brief aus Göttingen die Resultate einiger neuer Messungen mitteilte und diese sich ebenfalls aufs beste in meine Formel einfügten, war ich meiner Sache sicher und hoffte nun, mich mit meinem Vortrag recht vorteilhaft in die Physikalische Gesellschaft einzuführen. Es sollte freilich etwas anders kommen. Den Vorsitz an dem Abend führte Emil Du Bois-Reymond. Nachdem ich meinen Vortrag beendet und die Tafel vollgeschrieben hatte, meldete sich in der Diskussion niemand zum Wort. Daher machte der Vorsitzende selber einige Bemerkungen, die aber im wesentlichen auf eine ziemlich scharfe Kritik hinausliefen ... Das war eine kalte Dusche auf meine glühende Begeisterung. Ich ging etwas bedrückt nach Hause, tröstete mich aber bald mit dem Gedanken, daß eine gute Theorie sich auch ohne geschickte Propaganda durchsetzen werde. Das ist natürlich auch in diesem Falle geschehen, obwohl es in Berlin noch einige Jahre dauerte.*[31]

Nach einigen Mitgliedsjahren in der «Physikalischen Gesellschaft zu Berlin» übernahm Planck das Amt des Schatzmeisters, später war er mehrfach Vorsitzender und zwölf Jahre Beisitzer. Insgesamt hat Planck 31 Jahre hindurch die Lasten der Gesellschaftsarbeit mitgetragen. *Wenn man die Zahl der Sitzungen nimmt, die ich besucht habe, und die Zahl der Vorträge, die ich gehalten habe, kann ich es mit jedem Mitglied der Gesellschaft aufnehmen. Es gab Zeiten, wo ich keine Sitzung versäumte, Zeiten, wo ich auch jede Nachsitzung mitmachte.*[32]

Im «Grunewald», der Villenkolonie der Berliner Professoren, ließ sich Planck später auf einem schönen Gartengrundstück ein Haus, Wangen-

Die Universität Berlin

heimstraße 21, errichten. Ganz in der Nähe wohnten der Historiker Hans Delbrück, der Mediziner Karl Bonhoeffer und der Theologe Adolf von Harnack; die Kollegen waren miteinander befreundet wie später die gemeinsam heranwachsenden Kinder. «Wer das Haus in der Wangenheimstraße betrat», berichtete Agnes von Zahn-Harnack, «der mochte es nüchtern und streng nennen mit der dunkel paneelierten Halle, den ernsten Bildern, der Kühle in der Linienführung der Möbel und Gebrauchsgegenstände. Aber keiner konnte übersehen, daß gerade in diesem Vorgarten gleich bei der Pforte in jedem Frühjahr die ersten Leberblümchen und Primeln blühten, die frühesten Farnkräuter sich aus den feuchten Blättern emporknäuelten. Und keiner konnte überhören, daß aus diesen Fenstern manchmal wunderbare Musik drang und daß es der Hausherr selber war, der als Begleiter am Flügel saß, wenn Joseph Joachim geigte oder die unvergeßliche Maria Scherer Schubert, Schumann oder Brahms sang.»[33] Mit Joseph Joachim verband ihn bald eine enge Freundschaft, und beide haben oft und gern miteinander musiziert. Joachim war Direktor der Hochschule für Musik und Primarius des Streichquartetts, das sich aus Lehrern der Hochschule zusammensetzte. Bald nahm Planck am Leben der Schule regen Anteil. Mit der ihm eigenen Konsequenz hat er mehr als ein halbes Jahrhundert lang alle wichtigen Vortragsabende besucht.

Zu Beginn der Berliner Zeit beschäftigte sich Planck auch mit musiktheoretischen Problemen. Das Institut für theoretische Physik besaß ein von Helmholtz beschafftes Harmonium, das bei der Stuttgarter Firma Schiedmayer nach dem System des genialen Volksschullehrers Carl Eitz gebaut war. Planck lehrte sich selbst dieses komplizierte Instrument spielen und führte Studien über die Bedeutung der natürlichen Stimmung für die moderne a-cappella-Musik durch. *Dabei kam ich zu dem mir einigermaßen unvermuteten Ergebnis, daß unser Ohr die temperierte Stimmung unter allen Umständen der natürlichen Stimmung vorzieht. Sogar in einem harmonischen Durdreiklang klingt die natürliche Terz gegenüber der temperierten Terz matt und ausdruckslos. Ohne Zweifel ist diese Tatsache in letzter Linie auf jahre- und generationenlange Gewöhnung zurückzuführen.*[34]

Durch diese Studien hatte sich Planck ein so feines Gehör anerzogen, daß ihm, wie er einmal Max von Laue erzählte, «kein Konzert mehr vollen Genuß bereitete; stets hörte er die unvermeidlichen kleinen Fehler heraus. Später verlor sich diese Überempfindlichkeit wieder, zu seiner Freude.»[35]

Während Planck am Beispiel der Terz die temperierte Stimmung verfocht, war für Hermann von Helmholtz gerade die «Unreinheit» der temperierten Terz der Anlaß gewesen, sich für die natürliche Stimmung auszusprechen. So gab es in der Wertung der reinen Stimmung mit Helmholtz eine Meinungsdifferenz, wohl die einzige, die je bestanden hat. Der 37 Jahre ältere Hermann von Helmholtz, dessen Autorität so groß war, daß man ihn den «Reichskanzler der deutschen Physik» genannt hat, war für Planck das bewunderte Vorbild.

Es war für mich ein Ereignis von großer Bedeutung, daß ich diesem Manne, den ich nach seinen Werken schon so viele Jahre lang verehrt hatte, nun auch menschlich näbertreten konnte; ich sehe darin eine der wertvollsten Bereicherungen meines Lebens. Denn in seiner ganzen Persönlichkeit, seinem unbestechlichen Urteil, seinem schlichten Wesen, verkörperte sich die Würde und Wahrhaftigkeit seiner Wissenschaft. Dazu gesellte sich eine menschliche Güte, die mir tief zu Herzen ging. Wenn er mich im Gespräch mit seinem ruhig und eindringlich forschenden und doch im Grunde wohlwollenden Auge anschaute, dann überkam mich ein Gefühl grenzenloser kindlicher Hingabe, ich hätte ihm ohne Rückhalt alles, was mir am Herzen lag, anvertrauen können, in der gewissen Zuversicht, daß ich in ihm einen gerechten und milden Richter finden würde, und ein anerkennendes oder gar lobendes Wort aus seinem Munde konnte mich mehr beglücken als jeder äußere Erfolg. Ein paarmal ist mir so etwas passiert, und ich bewahre jedes dieser kleinen Erlebnisse in treuem Gedächtnis wie einen unverlierbaren Schatz für mein ganzes Leben.[36]

Die fast demütige Verehrung für den älteren Kollegen ist heute kaum mehr verständlich. Wir sind nach zwei Kriegen, in denen ein Übermaß von blindem Vertrauen unser Volk in namenloses Unglück stürzte, sehr kritisch geworden; man hat uns deshalb «die skeptische Generation» genannt. Planck dagegen war wie unsere Großväter zur Ehrfurcht erzogen. In seinem großen Idealismus war er sogar noch mehr als seine Zeitgenossen «ehrfürchtig». Fast heilig war ihm das von den großen Meistern errichtete Gedankengebäude der Wissenschaft – und doch ist er in die Geschichte eingegangen als der Mann, der Anfang unseres Jahrhunderts den großen «Umsturz im Weltbild der Physik» eingeleitet hat.

Das Haus Berlin-Grunewald, Wangenheimstraße 21

DAS SUCHEN NACH DEM ABSOLUTEN

Was hat die Physiker, diese «etwas sonderbaren, verschlossenen, einsamen Kerle», in den Tempel der Wissenschaft geführt? Albert Einstein dachte an Planck, als er sagte: «Es treibt den feiner Besaiteten aus dem persönlichen Dasein heraus in die Welt des objektiven Schauens und Verstehens; es ist dies Motiv mit der Sehnsucht vergleichbar, die den Städter aus seiner geräuschvollen, unübersichtlichen Umgebung nach der stillen Hochgebirgslandschaft unwiderstehlich hinzieht, wo der weite Blick durch die stille, reine Luft gleitet und sich ruhigen Linien anschmiegt, die für die Ewigkeit geschaffen scheinen.»[37]

Hinter den auf der Erde und am Himmel vor sich gehenden ständigen Veränderungen suchte der Forscher, seitdem es überhaupt eine Naturwissenschaft gibt, unveränderliche Gesetzmäßigkeiten. So formulierte René Descartes schon 1644, allerdings noch nicht ganz richtig, das Gesetz von der Erhaltung der Bewegung, das wir heute den Impulssatz nennen. Descartes sah in der Unwandelbarkeit der Bewegungsgröße eine Manifestation der Vollkommenheit Gottes. Auch diese Überzeugung wurde, wie vieles andere, im 18. und 19. Jahrhundert säkularisiert. Geblieben aber ist die Auffassung, daß es von allen menschlichen Subjektivitäten unabhängige Naturdinge gibt und daß es dem Menschen möglich ist, diese «für die Ewigkeit geschaffenen» Gegebenheiten zu erkennen.

In ganz besonderem Maße strebte Max Planck danach, in den Gesetzen der Natur das «Absolute» aufzuspüren: *Ausgehen können wir immer nur vom Relativen. Alle unsere Messungen sind relativer Art. Das Material der Instrumente, mit denen wir arbeiten, ist bedingt durch den Fundort, von dem es stammt, ihre Konstruktion ist bedingt durch die Geschicklichkeit des Technikers, der sie ersonnen hat, ihre Handhabung ist bedingt durch die speziellen Zwecke, die der Experimentator mit ihnen erreichen will. Aus allen diesen Daten gilt es das Absolute, Allgemeingültige, Invariante herauszufinden, was in ihnen steckt.*[38]

Eine solche «absolute Gegebenheit» hatte Gustav Kirchhoff schon 1859 in den Eigenschaften der schwarzen Wärmestrahlung aufgefunden. Erhitzte Metalle (etwa ein eiserner Ofen oder ein stromdurchflossener Draht) geraten in Rotglut, Gelbglut und bei noch höherer Temperatur schließlich in Weißglut: Die Körper senden «Wärmestrahlung» aus, die wie die Sonnenstrahlung aus vielen einzelnen Frequenzen oder Farben zusammengesetzt ist. Für die Eigenschaften der Strahlung ist die Art des glühenden Metalls ziemlich nebensächlich; Kirchhoff konnte sogar auf den Grenzfall extrapolieren, bei dem die speziellen Materialeigenschaften überhaupt keine Rolle mehr spielen. Realisieren ließ sich später dieser Idealfall durch einen hocherhitzten metallischen Hohlraum, der die sogenannte «schwarze Strahlung» durch eine schmale Öffnung aussendet.

Die «schwarze Strahlung» ist nach Kirchhoff von den Eigenschaften spezieller Körper vollständig unabhängig: «Die mit J bezeichnete Größe (das Emissionsvermögen des schwarzen Körpers) ist eine Funktion der Wellenlänge und der Temperatur. Es ist eine Aufgabe von hoher Wichtigkeit, diese Funktion zu finden. Der experimentellen Bestimmung derselben stehen große Schwierigkeiten im Wege; trotzdem scheint die Hoffnung begründet, sie durch Versuche ermitteln zu können, da sie unzweifelhaft von einfacher Form ist, wie alle Funktionen es sind, die nicht von den Eigenschaften einzelner Körper abhängen, und die man bisher kennengelernt hat.»[39]

Seit 1859 war also bekannt, daß für die Wärmestrahlung eine «universelle Funktion» existieren müsse. Trotz des großen Interesses an dieser

Hermann von Helmholtz, der «Reichskanzler der deutschen Physik». Gemälde von Knaus (Ausschnitt)

Funktion konnte sie weder auf experimentellem noch auf theoretischem Wege ermittelt werden. Der junge Friedrich Paschen fand 1898 für die Bedeutung des Problems die einprägsame Formel: «Ich glaube, daß die Bestimmung der Funktion J wichtig genug ist, um ihrethalben ein Ordinariat [d. h. eine sichere Lebensstellung als Professor] auszuschlagen.»

Bei seinen bisherigen Arbeiten waren Planck, wie er allzu bescheiden sagte, «keine besonderen Erfolge» beschieden gewesen. Hier, auf dem Gebiet der strahlenden Wärme, stieß er 1894 auf Neuland: *Diese sog. normale Energieverteilung stellt also etwas Absolutes dar, und da das Suchen nach dem Absoluten mir stets als die schönste Forschungsaufgabe erschien, so machte ich mich mit Eifer an ihre Bearbeitung.*[40]

Systematisch nahm Planck das komplexe Problem in Angriff. Er faltete sorgfältig die Teile auseinander und löste in einem vieljährigen Forschungsprogramm, Schritt um Schritt, die Einzelaufgaben. Noch war die richtige Form der «universellen Funktion» nicht gefunden, als er in dieser Funktion grundlegende Naturkonstanten entdeckte. Am 18. Mai 1899 trug er der Preußischen Akademie der Wissenschaften seine Erkenntnis vor: *Mit Zuhülfenahme der beiden Constanten k und h ist die Möglichkeit gegeben, Einheiten für Länge, Masse, Zeit und Temperatur aufzustellen, welche, unabhängig von speciellen Körpern oder Substanzen, ihre Bedeutung für alle Zeiten und alle, auch außerirdische und außermenschliche Culturen notwendig behalten und welche daher als ‹natürliche Maßeinheiten› bezeichnet werden können. Die Mittel zur Festsetzung der vier Einheiten für Länge, Masse, Zeit und Temperatur werden gegeben durch die beiden erwähnten Constanten k und h, ferner durch die Größe der Lichtfortpflanzungsgeschwindigkeit c im Vacuum und durch die Gravitationsconstante f.*[41]

Auf Spaziergängen im Grunewald soll Max Planck seinem Sohn Erwin gesagt haben, daß ihm eine «der größten Entdeckungen der Physik seit Newton» gelungen sei. Wir wissen davon durch eine mündliche Mitteilung Erwin Plancks an den Physiker und Philosophen Bernhard Bavink: «Der Vater habe ihm um das Jahr 1900 bei einem Spaziergang im Grunewald gesagt: ‹Heute habe ich eine Entdeckung gemacht, die ebenso wichtig ist wie die Entdeckung Newtons.›»[42] Entspricht dieser Bericht, den Erwin Planck Bernhard Bavink mitgeteilt und der von diesem abermals mündlich an Arnold Sommerfeld weitergegeben wurde, der historischen Wahrheit? Hat Planck wirklich, um sich seinem damals siebenjährigen Sohn Erwin verständlich zu machen, solche ihm sonst fremden Superlative gebraucht? Die Geschichte der Physik ist nicht arm an Legenden. Wie das Galileische «Und sie bewegt sich doch» könnte auch das Plancksche Wort von der «größten Entdeckung seit Newton» ihm von der Nachwelt in den Mund gelegt worden sein.

Der Verfasser war darum lange skeptisch, bis ihm der Göttinger Physiker Robert Pohl, der mit Erwin Planck befreundet war, berichtete: «Bei einer unserer Bootsfahrten sagte mir Erwin spontan: ‹Vater weiß nach seinen eigenen Worten, daß seine Entdeckung der neuen Naturkonstanten die gleiche Bedeutung hat, wie die von Kopernikus.› Deswegen habe ich nach Plancks Tod dafür gesorgt, daß die Konstante mit ihrem numerischen Wert unten auf Plancks Grabstein angebracht wurde.»[43]

Mit dem Planckschen Ausspruch «Größte Entdeckung seit Kopernikus (oder seit Newton)» hat es also wohl seine Richtigkeit. Wir müssen aber genau festhalten, daß Planck die Entdeckung der Naturkonstanten h meint, nicht etwa (wie vielfach falsch wiedergegeben) die spätere Begründung der Quantentheorie durch die Formel $\varepsilon = h \cdot \nu$. Planck war begeistert, denn er hatte in der Naturkonstanten h «das Absolute» gefunden: *Indem wir bei jeglichem Naturgeschehen von dem Einzelnen, Konventionellen und Zufälligen dem Allgemeinen, Sachlichen und Notwendigen zustreben, suchen wir hinter dem Abhängigen das Unabhängige, hinter dem Relativen das Absolute, hinter dem Vergänglichen das Unvergängliche. Und so weit ich sehe, zeigt sich diese Tendenz nicht nur in der Physik,*

sondern in jeglicher Wissenschaft, ja, nicht nur auf dem Gebiet des Wissens, sondern auch auf dem des Guten und dem des Schönen.[44]

Durch Plancks Arbeiten war also nun, seit Mai 1899, bekannt, daß im Strahlungsgesetz zwei Konstanten eine Rolle spielen; noch aber war die richtige Form dieses Gesetzes (die «universelle Funktion», von der schon Kirchhoff gesprochen hatte) nicht gefunden. Um 1900 spielte sich in den Sitzungen der Physikalischen Gesellschaft *unter anderem auch ein reger Meinungsaustausch ab über die Gesetze der Wärmestrahlung. Ich erinnere mich noch sehr wohl, daß Rubens damals ... zu mir sagte: Wie es auch sei, das eine steht fest, die Intensität der monochromatischen Strahlung hat als einen Faktor die Temperatur und als anderen Faktor einen Ausdruck, der bei unbegrenzt steigender Temperatur endlich bleibt.*[45]

Das war Mitte Oktober des Jahres 1900. Planck sah sich mit zwei einander widersprechenden Formeln konfrontiert: dem bisher als richtig angesehenen Gesetz von Friedrich Paschen und Wilhelm Wien und den neuen Meßergebnissen von Heinrich Rubens und Ferdinand Kurlbaum. Er betrachtete beide Aussagen als richtig – für ihren jeweiligen Bereich. Wie er häufig als Schiedsrichter zwischen Kollegen vermittelte, vermittelte er hier sozusagen zwischen den beiden Formeln. Er erhielt durch eine einfache, aber gedankentiefe Interpolation das richtige Gesetz. Diese später nach ihm benannte Strahlungsformel teilte er am 19. Oktober 1900 der Physikalischen Gesellschaft mit: *Am Morgen des nächsten Tages suchte mich der Kollege Rubens auf und erzählte, daß er nach dem Schluß der Sitzung noch in der nämlichen Nacht meine Formel mit seinen Messungsdaten genau verglichen und überall eine befriedigende Übereinstimmung gefunden habe.*[46]

Das war abermals ein großer Erfolg. Nun blieb aus dem Paket von Problemen, das Planck 1894 aufgeschnürt hatte, nur noch eines, freilich das theoretisch wichtigste: Die große Aufgabe war jetzt, die Strahlungsformel aus den Grundlagen der Physik zu deduzieren. Da in der Strahlungsformel die neue Konstante h steckte, deren Existenz (wie wir heute wissen) den anerkannten Gesetzen widersprach, so mußte diese Ableitung notwendig über die bisherige klassische Physik hinaus in eine neue geistige Dimension führen.

Aus dem Protokollbuch der
Deutschen Physikalischen Gesellschaft:
die historische Sitzung am
14. Dezember 1900

Sitzung der Physika

Vorsitzender: E. War

Zu Mitgliedern wurden ge
Herr Dr. E. grüneisen
Dr. F. Dolezalek
Dr. F. Bidlingmai

Ausgeschieden

Zu Mitgliedern wurden vo
Herr Prof. Dr. Mielke

der Tech.
Hr. Dr. Drecker, Aachen,
Lousbergstrasse 26.
Hr. Prof. Dr. K. Von der Mühll
Basel, Universität

DIE GEBURT DER QUANTENTHEORIE

Zugleich mit der neuzeitlichen Physik war im 17. Jahrhundert als eine
ihrer Hauptprinzipien der Lehrsatz entstanden, daß die Natur keine
Sprünge mache. Newton nannte die physikalischen Größen Fluenten und
Fluxionen, weil sie sich stetig, gleichsam fließend verändern. Bei Leibniz
durchzieht das weit gefaßte Kontinuitätsprinzip die ganze Philosophie.
Schließlich bekräftigte Kant das «natura non facit saltus» nochmals als
integrierenden Bestandteil der Wissenschaft; er zählte es zu den Katego-

…me des Vortragenden	Gegenstand des Vortrages
	Der Vors. theilt das Ableben zweier auswärtiger Mitglieder mit:
	Hr. Prof. A. Oberbeck (Nachruf später)
	Hr. Prof. E. Ketteler (" -) geb. 18-4-36
	(Hauptarbeiten: optik, Aberration, Dispersion)
	Die Mitglieder erheben sich von ihren Sitzen
M. Planck	1. Ueber das sog. Wien'sche Paradoxon
	2. Zur Theorie des Gesetzes der Energievertheilung im Normalspektrum
H. Diesselhorst	Ueber die bisherigen Bestimmungen der Wärmeleitung

Anderweitige Beschlüsse und Mittheilungen

rien a priori, ohne die eine Naturforschung überhaupt unmöglich sei.

Als Revolutionär wider Willen ging Max Planck gegen Jahresende 1900 zum erstenmal von den überlieferten Denkkategorien ab. Bei der Begründung seiner Formel für die Wärmestrahlung sah er sich genötigt, eine kleine Energiegröße ε einzuführen. Dieses ε bedeutete nichts anderes als den Betrag des «Quantensprungs» und war damit geradezu ein Maß für die Verletzung des klassischen Grundsatzes «natura non facit saltus».

Um bei der Ableitung der Strahlungsformel überhaupt durchzukommen (was mit den Vorarbeiten etwa sechs Jahre in Anspruch genommen

§ 9. Endlich führen wir auch noch die Entropie S des Resonators ein, indem wir setzen:

(9) $$\frac{1}{\vartheta} = \frac{dS}{dU}.$$

Dann ergiebt sich:

$$\frac{dS}{dU} = \frac{1}{\nu} f\left(\frac{U}{\nu}\right)$$

und integrirt:

(10) $$S = f'\left(\frac{U}{\nu}\right),$$

d. h. die Entropie des in einem beliebigen diathermanen Medium schwingenden Resonators ist von der einzigen Variabeln U/ν abhängig und enthält ausserdem nur universelle Constante. Dies ist die einfachste mir bekannte Fassung des Wien'schen Verschiebungsgesetzes.

§ 10. Wenden wir das Wien'sche Verschiebungsgesetz in der letzten Fassung auf den Ausdruck (6) der Entropie S an, so erkennen wir, dass das Energieelement ε proportional der Schwingungszahl ν sein muss, also:

$$\varepsilon = h \cdot \nu$$

und somit:

$$S = k\left\{\left(1 + \frac{U}{h\nu}\right) \log\left(1 + \frac{U}{h\nu}\right) - \frac{U}{h\nu} \log\frac{U}{h\nu}\right\}.$$

Hierbei sind h und k universelle Constante.

Durch Substitution in (9) erhält man:

$$\frac{1}{\vartheta} = \frac{k}{h\nu} \log\left(1 + \frac{h\nu}{U}\right),$$

(11) $$U = \frac{h\nu}{e^{\frac{h\nu}{k\vartheta}} - 1}$$

und aus (8) folgt dann das gesuchte Energieverteilungsgesetz:

(12) $$\mathfrak{u} = \frac{8\pi h \nu^3}{c^3} \cdot \frac{1}{e^{\frac{h\nu}{k\vartheta}} - 1}$$

oder auch, wenn man mit den in § 7 angegebenen Substitutionen statt der Schwingungszahl ν wieder die Wellenlänge λ einführt:

(13) $$E = \frac{8\pi c h}{\lambda^5} \cdot \frac{1}{e^{\frac{ch}{k\lambda\vartheta}} - 1}.$$

Einführung der Quantengleichung

hat), bedurfte es eines «sehr klaren, logischen Kopfes». Den besaß Planck, wie schon seine Lehrer am Münchener Maximiliansgymnasium im Zeugnis festgestellt hatten. Es bedurfte dazu aber auch einer ungewöhnlich systematisch und gewissenhaft arbeitenden Persönlichkeit. Gewissenhaftigkeit und Ordnungsliebe waren bei Planck schon fast in sprichwörtlichem Ausmaß vorhanden. Selbst bei seinen beliebtesten Freizeitbeschäftigungen, dem Bergsteigen und dem Musizieren, machten sich diese Charakterzüge geltend.

Am 14. Dezember 1900 trug Planck seine Gedanken der Physikalischen Gesellschaft in Berlin vor. Das war die Geburtsstunde der Quantentheorie. Eine neue Epoche der Physik hatte ihren Anfang genommen. *Kurz zusammengefaßt kann ich die ganze Tat als einen Akt der Verzweiflung bezeichnen. Denn von Natur bin ich friedlich und bedenklichen Abenteuern abgeneigt ... Aber eine theoretische Deutung mußte um jeden Preis gefunden werden, und wäre er noch so hoch ... Die beiden Hauptsätze der Wärmetheorie erschienen mir als das einzige, was unter allen Umständen festgehalten werden muß. Im übrigen war ich zu jedem Opfer an meinen bisherigen physikalischen Überzeugungen bereit.*[47]

Entgegen einer verbreiteten Meinung war sich Planck um die Jahrhundertwende aber noch keineswegs der Konsequenz bewußt, mit diesem ε nun Quantensprünge an Stelle stetiger Veränderungen in die Physik eingeführt zu haben. Wenn also Planck im Jahre 1900 noch nicht den Eindruck hatte, das Kontinuitätsprinzip gestürzt zu haben, warum spricht er dann von einem «Akt der Verzweiflung» in der Ableitung des Strahlungsgesetzes und von einem «Opfer an den physikalischen Überzeugungen»? Das Opfer, das Planck wissentlich gebracht hat, war der Verzicht auf die ihm liebgewordene rein axiomatische Auffassung des zweiten Wärmehauptsatzes und die Annahme der atomistischen Interpretation.

Die Atomvorstellung war Planck bisher nicht recht geheuer gewesen. Bei seiner Doktorpromotion 1879 hatte er noch als These formuliert: *Die Annahme von absolut untheilbaren Bestandtheilen der Materie widerspricht dem Prinzip von der Erhaltung der Kraft.* Und erst wenige Jahre zurück lag die Polemik, die sein Assistent Ernst Zermelo gegen die von Ludwig Boltzmann vertretene atomistische Auffassung des zweiten Hauptsatzes geführt hatte. Zur Ableitung des Gesetzes der schwarzen Wärmestrahlung mußte sich Planck nun im November 1900 der bisher verabscheuten und bekämpften «Methode Boltzmann» bedienen, und darauf bezieht sich sein «Opfer an den physikalischen Überzeugungen» und sein «Akt der Verzweiflung». Daß er im Verlauf der Überlegungen auch noch die Größe ε einführen mußte, war dann eine nicht mehr allzusehr ins Gewicht fallende zusätzliche Schwierigkeit. Das geht eindeutig aus Berichten von Hörern seiner damaligen Vorlesungen hervor und zudem aus einem Brief an den englischen Kollegen Robert Williams Wood. Da heißt es über die Relation $\varepsilon = h \cdot \nu$: *Das war eine rein formale Annahme, und ich dachte mir eigentlich nicht viel dabei, sondern nur eben das, daß ich unter allen Umständen, koste es was es wolle, ein positives Resultat herbeiführen müßte.*[48]

Planck war also ursprünglich der Meinung gewesen, für die kleine Energiegröße ε nach der Rechnung den Grenzübergang ε → 0 vollziehen zu können. Statt dessen ergab sich die Formel ε = h · ν. Dabei bedeutet ν die Eigenschwingungsfrequenz der von ihm betrachteten Hertzschen Oszillatoren. Um ε = 0 zu erzwingen, blieb also nur die Möglichkeit, die Konstante h gleich Null zu setzen. Diesen Weg wählten, noch Jahre nach Planck, die beiden englischen Physiker Lord Rayleigh und Sir James Jeans und der große niederländische Physiker Hendrik Antoon Lorentz. Auf diese Weise erreichte man eine konsequente Ableitung innerhalb des Begriffsschemas der klassischen Physik. Diese − nach den bisherigen Kriterien des Denkens − logisch befriedigende Lösung erkaufte man aber durch das fatale Endergebnis einer falschen physikalischen Strahlungsformel, mit der sich Rayleigh, Jeans und Lorentz notdürftig abzufinden suchten.

Nicht so Max Planck. Dieser hatte sich durch jahrelange gründliche Analyse davon überzeugt, daß der Konstanten h in der Physik eine reale Bedeutung zukommt, weil nämlich der Zahlenwert mit großer Genauigkeit aus den Strahlungsmessungen bestimmt werden konnte. Planck hatte klar erkannt, daß die Größe h sogar eine ganz grundlegende Bedeutung besitzt als eine der wenigen echten Naturkonstanten. Schon im Mai 1899 hatte er ja daran gedacht, neben der Lichtgeschwindigkeit c auch h als Basis eines natürlichen Maßsystems einzuführen.

Diese Entdeckung spielte dann im November 1900 eine entscheidende Rolle bei der Ableitung des Strahlungsgesetzes: Der falsche Ausweg aus allen Schwierigkeiten, der Ansatz h = 0, war Planck versperrt. Er mußte die Relation ε = h · ν als gegeben hinnehmen. Ein Verständnis dieser Gleichung war Planck trotz angestrengter Bemühungen nicht möglich. Der Prozeß der Klärung erforderte, wie wir heute wissen, die summierten Kräfte der genialsten Physiker unseres Jahrhunderts. Erst 1927, nach fast drei Jahrzehnten, gelang es Werner Heisenberg, mit der «Unschärferelation» das Wesen der Konstanten h zu erfassen.

Um die Jahrhundertwende mußten alle diesbezüglichen Versuche Plancks vergeblich bleiben. Welche Mühe hat er umsonst aufgewendet! Immerhin aber hatte er Erfolg bei der Interpretation der zweiten im Strahlungsgesetz auftretenden Konstanten. Mitte 1902 erkannte Planck, daß k in die Definition der Temperatur eingeht. Sie hat also keine ganz grundsätzliche Bedeutung, wie er ursprünglich gemeint hatte. Trotzdem spielte auch k in den ersten Jahren unseres Jahrhunderts eine wichtige Rolle, nämlich bei der Anerkennung der Atomistik. Es ist eine Ironie der Geschichte, daß gerade Planck, der die Atomvorstellung so heftig abgelehnt hatte, ihr die Bahn gebrochen hat.

Durch die Bescheidenheit Plancks ist es den Zeitgenossen erst sehr spät zu Bewußtsein gekommen, daß auch diese Konstante k, die heute vielfach «Boltzmannsche Konstante» genannt wird, von Planck entdeckt worden ist. Die Konstante schmückt (zusammen mit der zugehörigen Formel) das Ehrenmal Boltzmanns auf dem Wiener Zentralfriedhof. «Sie kann», wie Sommerfeld gesagt hat, «jetzt auch zugleich als Symbol dienen für die großzügige Gesinnung Plancks, der sich in den Fragen des Atomismus [seit der Jahrhundertwende!] als Schüler Boltzmanns fühlte und sein

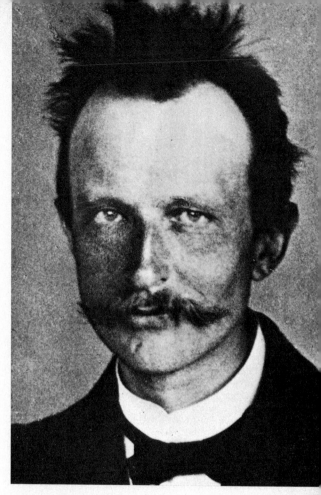

1901

eigenes Verdienst totgeschwiegen hat.»[49]

In den Vorlesungen hat Planck nie ein Wort über seine Entdeckungen verloren. Auch später, als die Begriffe «Plancksches Wirkungsquantum», «Plancksches Elementargesetz» und «Plancksche Strahlungsformel» allgemein gebräuchlich waren, hat er immer andere Bezeichnungen benutzt. «Jedes Herausstellen der eigenen Person, jedes Vordrängen, wie es in unserer so reklamesüchtigen Zeit überaus häufig ist, lag ihm fern und wurde von ihm verabscheut. Wie in seinem Äußeren war er auch im Innern von vornehmer Einfachheit und Bescheidenheit. Ich erinnere mich ...

noch gut einer Vorlesung, in der die nach ihm benannte Plancksche Strahlungsformel hergeleitet wurde ... Am Schluß der Stunde stand die Formel fertig an der Tafel und wurde diskutiert. Mit keinem Worte aber hatte Planck erwähnt, daß es sich hier um seine eigene große Entdeckung handelte, daß die grundlegenden und umwälzenden neuen Gedanken von ihm stammten.»[50]

Plancks Vorlesung war in einem sechssemestrigen (entsprechend dreijährigen) Zyklus aufgebaut. Nacheinander behandelte er die Mechanik der Massenpunkte und starren Körper, die Mechanik der kontinuierlichen Medien, Elektrizität und Magnetismus, Optik, Thermodynamik und Wärmestrahlung und schließlich Spezialprobleme der theoretischen Physik (später mit Einschluß der Quantentheorie). Im folgenden Semester begann dann wieder mit der Mechanik der neue Zyklus: «In der Vorlesung gebrauchte er kein Kollegheft. Er fing damit an, eine einfache Gleichung anzuschreiben, war aber bald mitten in einer Fourier-Entwicklung oder, wie bei der Theorie der Elastizität, einer komplizierten Gleichung, die sich von selbst zu entwickeln schien. Er machte niemals einen Fehler und stockte nie. Sehr selten nahm er seine Notizen heraus, sagte nach einem Blick auf die Tafel ‹Ja› und steckte sie wieder weg. Er sprach mit ruhiger, verständlicher und angenehmer Stimme; er war der beste Vortragende, den ich jemals gehört habe ... Er hatte zwei Lieblingsäußerungen. Die eine war: ‹Wir können noch einen Schritt weitergehen› und die andere ‹Jetzt ist die Sache vollständig genügend erledigt!›» Soweit James Riddick Partington. Ein anderer Schüler, Fritz Reiche, bestätigte: «Er war ein ausgezeichneter Lehrer. Es kann sein, daß er nicht amüsant war. Ich erinnere mich, daß der Mathematiker Adolf Kneser in Breslau immer ein wenig kritisch war und die Bemerkung machte: ‹Planck, nun, Planck ist auch nicht zum Totlachen!›»

Lise Meitner gab zu, daß die Verhaltenheit Plancks mitunter fälschlich als Steifheit empfunden wurde: «In Plancks Vorlesungen hatte ich anfangs mit einem gewissen Gefühl der Enttäuschung zu kämpfen. In Wien war ich Schülerin von Boltzmann gewesen. Boltzmann war sehr erfüllt von der Begeisterung für die Wunderbarkeit der Naturgesetze und ihre Erfaßbarkeit durch das menschliche Denkvermögen. Und er hatte keine Scheu, dieser Begeisterung in sehr persönlicher Weise Ausdruck zu geben, was uns junge Hörer natürlich sehr mitriß. Mit diesem Hintergrund erschienen mir zunächst Plancks Vorlesungen bei all ihrer außerordentlichen Klarheit etwas unpersönlich, beinahe nüchtern. Aber ich habe sehr schnell verstehen gelernt, wie wenig mein erster Eindruck mit Plancks wahrer Persönlichkeit zu tun hatte. Ich erwähne diesen meinen anfänglichen Irrtum nur deshalb, weil ich glaube, daß der gleiche Irrtum von anderen Menschen begangen worden ist, die Planck menschlich nicht wirklich gekannt haben. Ihnen mochte seine nach außen gezeigte starke Zurückhaltung als geheimrätlich erscheinen. Aber wie fern war ihm jede ‹Geheimrätlichkeit›. Er war von einer seltenen Gesinnungsreinheit und innerlichen Geradlinigkeit, der seine äußere Einfachheit und Schlichtheit entsprach. Als er einmal von Joseph Joachim erzählte [in dem er einen nahen Freund verloren hatte], sagte er, *Joachim sei auch als Mensch so wunder-*

Die Familie

bar gewesen, daß, wenn er in ein Zimmer kam, die Luft im Zimmer besser
wurde. Genau das konnte man von Planck sagen, und das hat die damalige
jüngere Berliner Physikergeneration sehr stark empfunden.»[51]

ANNALEN

DER

PHYSIK.

BEGRÜNDET UND FORTGEFÜHRT DURCH

F. A. C. GREN, L. W. GILBERT, J. C. POGGENDORFF, G. UND E. WIEDEMANN.

VIERTE FOLGE.

BAND 17.

DER GANZEN REIHE 322. BAND.

KURATORIUM:

F. KOHLRAUSCH, M. PLANCK, G. QUINCKE,
W. C. RÖNTGEN, E. WARBURG.

UNTER MITWIRKUNG

DER DEUTSCHEN PHYSIKALISCHEN GESELLSCHAFT

UND INSBESONDERE VON

M. PLANCK

HERAUSGEGEBEN VON

PAUL DRUDE.

MIT FÜNF FIGURENTAFELN.

LEIPZIG, 1905.

VERLAG VON JOHANN AMBROSIUS BARTH.

*Titelseite des Bandes 17 der «Annalen der Physik» mit
den drei berühmten Arbeiten Einsteins*

DAS GOLDENE ZEITALTER DER DEUTSCHEN PHYSIK

Im Herbst 1905 fesselte eine Abhandlung in Band 17 der «Annalen der
Physik» die Aufmerksamkeit Plancks. Der Aufsatz trug den Titel «Zur
Elektrodynamik bewegter Körper». Um das Problem hatten schon Hertz,
Lorentz und andere berühmte Forscher vergeblich gerungen – und hier
war nun, gänzlich unerwartet, ein höchst origineller Lösungsversuch. Der
Verfasser hieß Albert Einstein; den Namen hatte Planck, der die Literatur
aufmerksam verfolgte, noch nie gehört. Er erfuhr später, daß es sich um
einen kleinen Beamten am Schweizer Patentamt in Bern handle. Dieser
Einstein hatte die physikalische Bedeutung der bisher scheinbar absolut
und apriorisch festliegenden Grundbegriffe «Raum» und «Zeit» erfaßt,
die klassische Mechanik reformiert und mit der Elektrodynamik zu einem

geschlossenen Gedankengebäude vereinigt. Damit war die heute sogenannte «Spezielle Relativitätstheorie» konzipiert.

Was uns heute als eine wissenschaftliche Sensation erscheint, wurde damals nicht verstanden und blieb ganz unbeachtet. In der Fülle der jedes Jahr erscheinenden Publikationen wäre der Aufsatz des unbekannten Verfassers untergegangen, wenn nicht ein Echo von Planck gekommen wäre. Im Berliner Kolloquium referierte Planck schon zu Beginn des Wintersemesters 1905/06 und in der Physikalischen Gesellschaft am 23. März 1906: *Das vor kurzem von H. A. Lorentz und in noch allgemeinerer Fassung von A. Einstein eingeführte «Prinzip der Relativität» . . . bedingt, wenn es sich allgemein bewähren sollte, eine so großartige Vereinfachung aller Probleme der Elektrodynamik bewegter Körper, daß die Frage seiner Zulässigkeit in den Vordergrund jeglicher theoretischer Forschung auf diesem Gebiete gestellt zu werden verdient.*[52]

Das «Strahlungs- oder Quantenproblem», auf das er fünf Jahre zuvor als erster gestoßen war, erschien ihm nun weniger wichtig: *Brennender als diese doch ziemlich tief zurückliegende Frage ist für den Augenblick die nach der Zulässigkeit Ihres Relativitätsprinzips*[53], schrieb er am 6. Juli 1907 an Einstein. Als der damals noch in Göttingen, später in Königsberg wirkende Experimentalphysiker Walter Kaufmann aus seinen Messungen eine Widerlegung der Einsteinschen Theorie herauslesen wollte, mahnte Planck zur Vorsicht. Er nahm die Mühe einer kritischen Analyse der Kaufmannschen Experimente auf sich und konnte tatsächlich nachweisen, daß Kaufmann unzulässige Vereinfachungen gemacht hatte.

Auch anderen Einwänden trat Planck energisch entgegen: *Herr Bucherer hat mir schon brieflich seine scharfe Opposition gegen meine letzte Untersuchung angekündigt, da er (allerdings ohne einen Grund anzugeben) das Relativprinzip als unvereinbar mit dem Prinzip der kleinsten Wirkung erklärt. Um so erfreulicher ist es mir daher, Ihrer werthen Karte zu entnehmen, daß Sie einstweilen nicht der Ansicht des Herrn B. sind. Solange die Vertreter des Relativitätsprinzips noch ein so bescheidenes Häuflein bilden, wie es jetzt der Fall ist, ist es von doppelter Wichtigkeit, daß sie untereinander übereinstimmen.*[54]

In seinem Brief an Einstein erwähnte Planck, daß er im kommenden Jahr seinen Urlaub im Berner Oberland verbringen würde und *dann vielleicht das Vergnügen haben werde*, ihn persönlich kennenzulernen. Tatsächlich hielt sich Planck mit seiner Familie drei Wochen, bis Mitte September 1908, in Axalp auf: *Seit 14 Tagen weile ich hier mit meiner Familie; doch es ist sehr schwierig, Ihnen einen bestimmten Ort und Zeitpunkt für ein Zusammentreffen vorzuschlagen, da das Wetter ein gar zu maßgebender Faktor in allen unseren Plänen bildet. Das einzige Sichere, was ich sagen kann, ist, daß ich Sonnabend den 12. abends in Brienz, Hotel du Lac, sein werde, da wir am 13. früh die Heimreise über den Brünig antreten. Wäre es aber nicht praktischer, wir träfen uns in Köln auf der Naturforscherversammlung? Ich komme jedenfalls dorthin. Dann wäre mehr Zeit und Stimmung zu wissenschaftlichen Erörterungen.*[55]

Überraschend schnell gelang es Planck, bei den führenden Fachleuten in Deutschland die Anerkennung der Speziellen Relativitätstheorie durch-

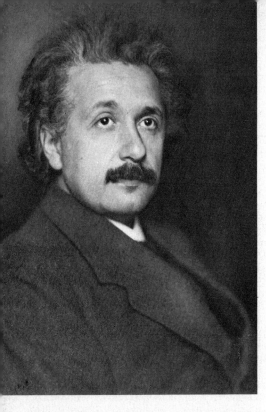

zusetzen. Nicht die experimentelle Prüfung gab den Ausschlag; ein wichtigeres Argument war die mathematische Schönheit und Symmetrie der Theorie. Den endgültigen Erfolg besiegelte der Vortrag des Mathematikers Hermann Minkowski auf der Versammlung der Deutschen Naturforscher und Ärzte am 21. September 1908 in Köln. Minkowski führte neben den drei Raumdimensionen die Zeit als vierte Dimension ein und konnte auf diese Weise den mathematischen Gehalt der Relativitätstheorie besonders deutlich herausarbeiten: «Die Anschauungen über Raum und Zeit, die ich Ihnen entwickeln möchte, sind auf experimentell-physikalischem Boden erwachsen. Darin liegt ihre Stärke. Ihre Tendenz ist eine radikale. Von Stund an sollen Raum für sich und Zeit für sich völlig zu Schatten herabsinken, und nur noch eine Art Union der beiden soll Selbständigkeit bewahren.»

Während Planck sofort die Bedeutung der Speziellen Relativitätstheorie erkannte, lehnte er andere, gleichzeitige und ebenso wichtige Gedanken Einsteins ab. Seine Skepsis richtete sich dabei gerade gegen die Veröffentlichung, die zum erstenmal tiefe, das Wesen der Planckschen Formel erfassende Einsichten enthielt. In der Arbeit «Über einen die Erzeugung und Verwandlung des Lichtes betreffenden heuristischen Gesichtspunkt» – wie die Relativitätstheorie in Band 17 der «Annalen der Physik» publiziert – griff Einstein in die durch Planck in Gang gebrachte Diskussion über das «Strahlungsproblem» ein. Anders als Rayleigh, Jeans und Lorentz, die den Weg zurück zur klassischen Physik suchten, drängte Einstein in genialem Ungestüm nach vorne. Tatsächlich war Einsteins Beitrag der entscheidende zweite Schritt in der Entwicklung der Quantentheorie. Seine Hypothese der Lichtquanten aber war so revolutionär, daß sie Planck als ganz und gar unmöglich betrachtete. *Ich suche die Bedeutung des elementaren Wirkungsquantums (Lichtquants) nicht im Vakuum, sondern an den Stellen der Absorption und Emission, und nehme an, daß die Vorgänge im Vakuum durch die Maxwellschen Gleichungen genau dargestellt werden. Wenigstens sehe ich noch keinen zwingenden Grund, von dieser Annahme, die mir einstweilen die einfachste scheint ... abzugehen.*[56]

Die vorsichtige Zurückhaltung entsprach der Persönlichkeit Plancks; sie war aber zweifellos auch vom Denkstil der Zeit geprägt: Es *scheint mir, daß gegenüber der neuen Einsteinschen Korpuskulartheorie des Lichtes die größte Vorsicht geboten ist ... Die Theorie des Lichtes würde nicht um Jahrzehnte, sondern um Jahrhunderte zurückgeworfen, bis in die Zeit, da Christian Huygens seinen Kampf gegen die übermächtige Newtonsche Emissionstheorie wagte ... Und alle diese Errungenschaften, die zu den stolzesten Erfolgen der Physik, ja der Naturforschung überhaupt gehören, sollen preisgegeben werden um einiger noch recht anfechtbarer Betrachtungen willen? Da bedarf es denn doch noch schwereren Geschützes, um das nachgerade sehr stark fundierte Gebäude der elektromagnetischen Lichttheorie ins Wanken zu bringen.*[57]

Plancks konservative Auffassung wurde von Rayleigh, Jeans und Lorentz geteilt. Der einzige, der entscheidende Unterschied bestand in folgendem: Die «Klassiker der Physik» klammerten sich an die Hoffnung, die in der Physikalisch-Technischen Reichsanstalt in Berlin durchgeführten (und hundertfach kontrollierten) Wärmestrahlungsmessungen müßten doch eine Fiktion sein – weil sie in eklatantem Widerspruch zur anerkannten Physik standen. Jeans und anderen auf diesem Notausgang zu folgen, ließ Plancks wissenschaftliche Redlichkeit nicht zu. *Jeans Hartnäckigkeit ist mir unverständlich – er ist das Beispiel eines Theoretikers, wie er nicht sein soll, dasselbe, was Hegel in der Philosophie war. Um so schlimmer für die Thatsachen, wenn sie nicht stimmen.*[58]

Wie die anderen Klassiker wollte auch Planck die traditionelle Physik bewahren. Aber er ging darum doch nicht ab von der Forderung, daß die Experimente und die aus ihnen folgende Existenz der Naturkonstanten h erklärt werden müßten – in der immer weiter schwindenden Hoffnung, daß diese Erklärung die bisherige Physik unangetastet lassen würde. *Meine vergeblichen Versuche, das Wirkungsquantum irgendwie der klassischen Theorie einzugliedern, erstreckten sich auf eine Reihe von Jahren und kosteten mich viel Arbeit. Manche Fachgenossen haben darin eine Art Tragik erblickt.*[59] Tragik deshalb, weil Planck das von ihm entdeckte revolutionär Neue nach seiner Veranlagung nicht freudig als Beginn eines geistigen Umsturzes begrüßen konnte, sondern sich selbst – vom Verstand

geführt – Schritt um Schritt vorwärts zwingen mußte auf der von ihm selbst vorgezeichneten Bahn.

Etwa um die Mitte des Jahres 1910 wurde sichtbar, daß der Riß im Fundament das ganze Gebäude der Physik mit Einsturz bedrohte, *daß die Lücke, die jetzt in der Theorie zu klaffen beginnt, weiter und weiter aufreißt*[60]. In dem Verhalten der spezifischen Wärme bei sehr tiefen Temperaturen hatte Einstein ein zweites Naturphänomen gefunden, das einem Quantengesetz gehorchte (und entsprechend klassisch unverständlich war). In Abstimmung mit Max Planck organisierte der Berliner Kollege Walther Hermann Nernst eine internationale «Gipfelkonferenz» der führenden Wissenschaftler in der von Planck übernommenen Überzeugung, *daß der durch die Strahlungsgesetze, durch die spezifische Wärme usw. geschaf-*

fene Zustand der Theorie ein lückenhafter, für jeden wahren Theoretiker unverträglicher ist, und daß daher die Not gebietet, sich zusammenzutun und gemeinsam auf Abhilfe zu sinnen[61].

Der auf Ende Oktober 1911 in Brüssel einberufene sogenannte «1. Solvay-Kongreß» bildete einen Meilenstein auf dem Wege zur neuen Physik. «Planck habe ich großenteils von meiner Auffassung überzeugen können, nachdem er sich nun schon jahrelang dagegen gesträubt hatte. Er ist ein ganz ehrlicher Mensch, der keine Rücksichten auf sich selber nimmt», schrieb Albert Einstein.

Die für die Physik so entscheidende Epoche war für Planck von schweren persönlichen Sorgen überschattet. In den Briefen vom Januar und Februar 1909 ist von der Krankheit von Marie Planck die Rede. *Meine Frau liegt noch immer an ihrem Lungenkatarh zu Bett . . . Bei mir zu Hause geht es nicht glänzend, da meine Frau sich von ihrem Lungenkatarh immer noch nicht genügend erholt hat. Ich bringe sie Mittwoch nach Baden-Baden (Sanatorium Ebersteinburg des Dr. Rumpf).*[62] Der «Lungenkatarh» war, wie wir heute annehmen müssen, ein Karzinom oder eine Tuberkulose. Am 17. Oktober starb, nach dreiundzwanzigjähriger glücklicher Ehe, Frau Marie Planck. *Es war ein fürchterlicher Schlag, der mich so unerwartet schnell betroffen. Vorgestern habe ich meine geliebte Frau an der Seite ihrer kurz voraufgegangenen Eltern gebettet . . . Nun muß für mich ein neues Leben beginnen, und ich hoffe, mit den Aufgaben, die mir durch die Sorge um die Kinder und durch die Wissenschaft gestellt sind, kommen auch die Kräfte wieder.*[63]

Im Februar 1911 schrieb Planck an Wilhelm Wien, *daß ich im nächsten Monat mich wieder verheiraten werde, mit einer Nichte meiner verstorbenen Frau, Marga von Hoeßlin. Wir feiern unsere Verbindung in aller Stille, ohne jede äußere Festlichkeit, im Kreise der engsten Familie, in München.*[64] Hochzeit war am 14. März 1911; am Weihnachtstag lag ein Söhnchen in der Wiege.

Einige Professorenkollegen nahmen an der raschen Wiederverheiratung Anstoß. Rückblickend sind wir mit Wilhelm H. Westphal froh, daß er so bald in seiner fast fünfundzwanzig Jahre jüngeren Frau Marga einen neuen Lebenspartner gefunden hat: «Zu einem ganz entscheidenden Teil ist es ihr zu danken, daß Planck, der noch durch so manches Tal tiefsten Leides gehen sollte, uns bis in sein hohes Alter in bewundernswerter körperlicher und geistiger Frische und immer noch das Leben bejahend, erhalten geblieben ist.»[65]

Im Hause Planck wurde es wieder fröhlich. An vielen Winterabenden fanden sich musikbegeisterte junge Menschen zusammen, um Chorwerke von Haydn und Brahms, vor allem die «Liebeslieder-Walzer» für vier Stimmen und vierhändiges Klavier und die «Zigeunerlieder» von Brahms zu studieren. Planck dirigierte und übernahm zugleich den einen Klavierpart. Die Sänger waren Verwandte und Freunde der Familien Planck, Harnack und Delbrück, darunter die Physiker Wilhelm Westphal, Eduard Grüneisen und Otto von Baeyer. Otto Hahn glänzte als Tenor, zu den regelmäßigen Zuhörern zählten Lise Meitner, Robert Pohl und Gustav Hertz.

Erster Solvay-Kongreß in Brüssel. Links, stehend, zweiter: Planck. Zweiter von rechts: Einstein

«Wer zu so einem Chorabend nur wie zu einem leichten gesellschaftlichen Spiel kam, der geriet sehr schnell in den Bann des Dirigenten», berichtete Agnes von Zahn-Harnack: «Verum gaudium res severa – es wurde gründlich und hingebend geübt, unnachsichtig, aber mit immer gleichbleibender Liebenswürdigkeit korrigiert, auch wohl einmal leise geseufzt, weil der Tenor ‹Küsse mich im Dunkeln› offenbar gar nicht geübt hatte . . . unser Dirigent sang nicht mit uns, um einen Einzelerfolg zu erzielen, sondern um des Singens willen – und davon wurden wir alle mitgerissen. Es galt bei ihm hier wie immer nicht der Effekt, sondern die Leistung.»[66] «Fielen die Einladungen in das Sommersemester», ergänzte

Lise Meitner, «so wurden anschließend im Garten Laufspiele gespielt, an denen sich Planck mit geradezu kindlichem Eifer und größter Behendigkeit beteiligte. Es gelang fast nie, n i c h t von ihm eingefangen zu werden. Und wie sichtlich vergnügt er war, wenn er Einen erwischt hatte.»

Regelmäßig, Semester für Semester, hielt Planck viermal wöchentlich seine Vorlesung. Immer neue Generationen von Studenten kamen und gingen – und waren zeitlebens stolz, Schüler Plancks gewesen zu sein. So wollte Heinrich Greinacher, als er selbst längst Ordinarius geworden war, sein neues Buch «Ergänzungen zur Experimentalphysik» dem verehrten Lehrer widmen. *Ob ich mich Ihrer Persönlichkeit als eines ehemaligen*

Schülers erinnere? Aber gewiß, und zwar sehr gut, wenn auch nicht gerade Ihrer Gesichtszüge, so doch Ihres Gesamteindrucks und Ihrer Leistungen. Denn ich kenne Sie noch gut als einen begabten und strebsamen Zuhörer, und habe andauernd mit Interesse Ihren Lebensgang verfolgt und mich über Ihre Erfolge gefreut.[67]

Obwohl Planck ein besonderes Lehrtalent besaß und die Pflichten eines akademischen Lehrers wie alle Pflichten sehr ernst nahm, hat er doch nicht im eigentlichen Sinne eine Schule begründet. In seiner Vorlesung saßen etwa einhundert Hörer, und im Semesterdurchschnitt mochte es die Hälfte sein, die die Übungen mitmachte. War dann der Vorlesungszyklus zu Ende, legten die Studenten das Staatsexamen ab oder sie promovierten – aber sich bei Planck ein Doktorthema zu holen, wagten nur wenige. Planck hat während seiner ganzen fünfzigjährigen Lehrtätigkeit nur etwa zwanzig Doktoranden gehabt, freilich meist die besten ihres Fachs: *Mehrere Generationen habe ich heranwachsen sehen, und ich darf sagen, daß mir viele Schüler mit reichen Zinsen zurückerstattet haben, was ich ihnen an Anregung mitzugeben vermochte. Ich könnte zahlreiche Namen nennen, aber ich will nicht den Anschein erwecken, als ob ich einige hinter andere zurücksetzen wollte. Aber einen Namen möchte ich doch noch hier nennen, das ist Herr Max von Laue, der aus einem meiner nächststehenden Schüler nicht nur ein berühmter Physiker, sondern auch mir ein naher und treuer Freund geworden ist. Und noch einen anderen Namen möchte ich nennen, der auf einer ganz anderen Seite steht: Moritz Schlick, der nach Abfassung einer gediegenen physikalischen Dissertation zur Philosophie überging.*[68]

Fritz Reiche wurde später einmal danach gefragt, wie oft er mit Planck über seine Doktorarbeit diskutiert habe: «Während des ganzen Jahres sah ich ihn nicht mehr als zwei Mal. Das war typisch für Planck. Er stellte das Thema und sagte ungefähr, was man zu tun hatte. Und dann sah ich ihn – ich möchte nicht sagen nur zwei Mal, es kann drei Mal gewesen sein. Dann sagte ich: ‹Die Arbeit ist fertig.›»

Lise Meitner hat überlegt, was wohl der Grund dafür gewesen sein mochte, daß Planck keine Schule gebildet hat wie etwa Arnold Sommer-

Philosophische Fakult[...]

Beitrag zum alphabetischen Teil des Verzeichnisses

Es wird gebeten, die Bezeichnung der Vorlesung oder Übung hier kürzer zu fassen, aber so, daß die Angaben mit denen im systematischen Teil übereinstimmen.

Reihenfolge der Vorlesungen: privatim [p.], privatissime [prss.], öffentlich [ö.], privatissime und unentgeltlich [pg.].

Name:	Wohnung:	event. Sprechstunde:

Prof. Planck — Grünwald, Wangenheimstr. 21 (12 - 1

Allgemeine Mechanik, Mo Di Do Fr 9-10, p.

Uebungen, Mi ~~Fr~~ 8-9 morgens pg.

feld in München oder später Max Born in Göttingen. «Das ist sicher kein Zufall, sondern ist irgendwie in Plancks Wesensart begründet. Dabei ist auffallend, daß Planck selbst schon in seiner Antrittsrede in der Berliner Akademie im Jahre 1894 gesagt hat: ‹Mir ist nicht das Glück zuteil geworden, daß ein hervorragender Forscher oder Lehrer auf die spezielle Richtung meines Bildungsganges Einfluß genommen hat.› Dieselbe sichtlich mit Bedauern gemischte Feststellung hat Planck fast 50 Jahre später in seinen Lebenserinnerungen wiederholt. Es muß also ein sehr starker Eindruck hinter diesen Worten stehen. Und doch hat er selbst eine Art Scheu gehabt, aktiv in die geistige Entwicklung seiner Schüler einzugreifen. Es ist mir nicht klar, was dieser Einstellung zugrunde gelegen ist. Ob er aus seinen eigenen Erfahrungen geschlossen hat, daß die ihm von Jugend an aufgezwungene Selbstorientierung letzten Endes ein Vorteil war?»[69]

Da Planck neben dem Assistenten meistens jeweils nur einen, seltener zwei Doktoranden hatte – mit denen er aber fast nie wissenschaftlich diskutierte –, gab es keinen wissenschaftlichen «Betrieb» wie bei den anderen physikalischen Lehrstühlen. Nach der Vorlesung oder dem Seminar verließ Planck das Universitätsgebäude wieder. Das von Planck geleitete «Institut für theoretische Physik» bestand im wesentlichen nur aus einer Bibliothek, aus der Fachliteratur entliehen werden konnte.

AN DER SPITZE DER AKADEMIE UND DER UNIVERSITÄT

Mit der Quanten- und Relativitätstheorie hatte das «goldene Zeitalter der deutschen Physik» seinen Anfang genommen. Das Zentrum der Forschung lag in Berlin. Nirgendwo anders in der Welt gab es ein besseres Forum für die wissenschaftliche Diskussion; an der Akademie, der Universität, der Technischen Hochschule und der Physikalisch-Technischen Reichsanstalt wirkte eine Vielzahl von hervorragenden Gelehrten. Nach der Gründung der Kaiser-Wilhelm-Gesellschaft 1910/11 entstanden in Rekordzeit zwei neue große Forschungsstätten: das Kaiser-Wilhelm-Institut für Physikalische Chemie unter Fritz Haber und das Kaiser-Wilhelm-Institut für Chemie mit der für die Physik wichtigen radioaktiven Abteilung unter Otto Hahn und Lise Meitner.

Auch an der altehrwürdigen Preußischen Akademie der Wissenschaften gab es eine bedeutsame Neuerung: Am 23. März 1912 wurde Max Planck in der physikalisch-mathematischen Klasse mit 19 von 20 Stimmen zum «beständigen Sekretar» gewählt. Die Akademie hatte keinen «Präsidenten»; nach den damaligen Statuten besaß vielmehr jede der beiden Klassen zwei «beständige Sekretäre»; diese vier bildeten das Präsidium. Max Planck war also, nach heutiger Bezeichnung, ein temporär amtierender Präsident. Jeder der vier «beständigen Sekretäre» führte vier Monate lang den Vorsitz der Gesamtakademie, dann ging das Amt reihum an die drei Kollegen, bis nach der Pause von einem Jahr die Pflicht des Vorsitzes von neuem begann.

Die einflußreiche Stellung ermöglichte es Planck, einen kühnen Plan zu verfolgen: die Berufung Einsteins nach Berlin. Als überzeugter Individualist und Demokrat stand Einstein den preußischen Idealen verständnislos gegenüber, zudem fühlte er sich in der Schweiz wohl. Um Einstein für Berlin zu gewinnen, mußte ein außergewöhnliches Angebot gemacht werden. Planck gelang es, die Bemühungen der Akademie, der Universität und der Kaiser-Wilhelm-Gesellschaft auf das Ziel zu vereinen. Im Frühsommer 1913 fuhr er mit Nernst nach Zürich, um den definitiven Vorschlag zu unterbreiten: Einstein solle ordentliches, hauptamtliches Mitglied der Akademie, Direktor des damit de iure zu schaffenden Kaiser-Wilhelm-Institutes für Physik und Professor an der Universität werden, mit dem Recht, aber nicht der Pflicht, Vorlesungen zu halten. Am 12. Juni legte Planck in der Sitzung der physikalisch-mathematischen Klasse den eigenhändig geschriebenen Wahlantrag vor. Am 7. Dezember 1913 erklärte Einstein sich einverstanden und trat zum 1. April 1914 das neue Amt an.

Max Planck war inzwischen zum Rektor der Friedrich-Wilhelms-Universität gewählt worden. In der traditionellen Antrittsrede zu Beginn des einjährigen Rektorats sprach er Worte der Erinnerung an die 100 Jahre zurückliegenden Freiheitskriege gegen Napoleon I.: *Das Beste, was wir von den Gedenkfeiern des vergangenen Jahres in das neue hinübernehmen, ist der brennende Wunsch, daß unsere Nachfahren dereinst in ähnlicher Weise zu uns emporblicken möchten, wie wir es jetzt zu den Männern tun, welche vor hundert Jahren in Wort und Tat für das Vaterland gekämpft und gelitten haben.*[70]

Noch vor Ablauf eines Jahres rief der Erste Weltkrieg die jungen Menschen, an die Planck diese Worte gerichtet hatte, zu den Waffen. Mit Jubel wurde in allen Schichten des Volkes, bei jung und alt, die Kriegserklärung begrüßt: «Seine Majestät der Kaiser und König hat die Mobilmachung von Heer und Flotte angeordnet. Erster Mobilmachungstag ist der zweite August.»

Am 3. August feierte die Universität das traditionelle Stiftungsfest. «Es herrscht in der überfüllten Aula höchste Erregung und Spannung», berichteten Augenzeugen. «Viele Professoren und Studenten stehen unmittelbar vor dem Auszug in den Krieg. Sie wie ihre Familienangehörigen warten auf ein Wort des Rektors, das der Stunde gemäß sein und ihnen die Hoffnungen und Wünsche der Körperschaft würdig zum Ausdruck bringen soll, der sie angehören.

Der Rektor besteigt das Katheder. Seine Festrede behandelt ein schwieriges Problem seiner Wissenschaft, der theoretischen Physik, das er in Beziehung zur Philosophie setzt. Kein Gedanke der tieferregten Zeit dringt in den Kern dieser streng wissenschaftlichen Rede. Jede Anspielung auf das, was jeden beschäftigt, wird im Vortrag vermieden. Der scharfsinnige und fesselnde, aber kühl sprechende Redner zwingt die Hörer – manche gewiß widerwillig – in seinen Bann.»[71]

«Dann wendet er sich mit einem ganz sparsamen, aber um so tiefer ergreifenden Pathos dem zu, was alle Gemüter erfüllt. Das Deutschlandlied erklingt; hell und jung tönen die Stimmen der Studenten, und mit ihnen vereinigen sich die Stimmen der Lehrer. Sie stehen in ihren Talaren, durchgearbeitete, von geistigem Ringen geprägte Köpfe: Waldeyer, Kahl, Lasson, Gierke, Delbrück, Harnack und viele andere; zu vorderst Ulrich von Wilamowitz' fein gemeißeltes Gesicht, über das, während er singt, die schweren Tränen rollen . . .»[72]

Die unter dem Jubel der Bevölkerung ausrückenden deutschen Truppen drangen, unter Verletzung der belgischen Neutralität, rasch in Nordfrankreich ein; Anfang September standen sie kurz vor Paris. An der Marne endete der Vormarsch. *Erwin wurde am 6. September bei Neuvy (östlich von Paris) durch einen Schuß ins Bein verwundet und geriet bei dem am folgenden Tage einsetzenden fast fluchtartigen Rückzug der v. Kluckschen Armee mit seinem ganzen Lazarett in französische Gefangenschaft . . . Auf der Universität suchen wir den Betrieb, so gut es geht, aufrechtzuerhalten. Meine 200 Zuhörer sind auf etwa 40–50 zusammengeschmolzen. Aber ich bin zufrieden, daß überhaupt gearbeitet wird und genieße die Entlastung vom Rektoramt gehörig.*[73]

Hoch schlugen die Wogen der Begeisterung über die edle gemeinsame Sache – Wogen des Hasses gegen die Feinde folgten. Planck hatte zwar ein ausgeprägtes Nationalgefühl, aber den Chauvinismus machte er nicht mit. Sichtbar wurde das etwa in der Preußischen Akademie, als über die zur Erlangung des Steiner-Preises eingereichten Arbeiten entschieden wurde. Während Italien Anstalten machte, sich den Alliierten anzuschließen, ergab die Prüfung der Akademie, daß zwei italienische Aufsätze für den Preis in Betracht kamen. In der Sitzung am 20. Mai 1915 betonten zwei Mitglieder der Klasse, daß sie die Krönung eines Angehörigen eines feindlichen Staates für ausgeschlossen hielten. Planck bemerkte, *daß nach seiner Meinung die Prämiierung einer Arbeit, die nicht die beste der eingereichten sei, noch weniger in Betracht kommen könne*[74].

Die weltweite Empörung über die Verletzung der belgischen Neutralität wurde von den Alliierten wachgehalten durch Berichte über zerstörte Kirchen und Kunstschätze und über erfundene oder grell übertriebene Kriegsgreuel. Der alliierten Propaganda antwortete von deutscher Seite mit grobem Geschütz der «Aufruf an die Kulturwelt». Polemisch beginnt jeder Abschnitt mit «Es ist nicht wahr». 93 namhafte Gelehrte und Künstler unterschrieben, darunter so besonnene Männer wie Adolf von Harnack,

Felix Klein, Wilhelm Conrad Röntgen und Max Planck.

Das «Manifest der 93 Intellektuellen» hinterließ auch bei den Neutralen den denkbar schlechtesten Eindruck: «Hätte man gesagt ‹Wir können es nicht glauben› statt ‹Es ist nicht wahr›, so hätte keiner Ihnen etwas vorzuwerfen», schrieb Hendrik Antoon Lorentz: «Jetzt aber hat man sich in der feierlichsten Weise und sehr positiv über Dinge ausgesprochen, die man doch wirklich nicht wissen konnte. Ich denke hierbei an den Satz, daß keines einzigen belgischen Bürgers Leben und Eigentum angetastet worden sei . . .»[75]

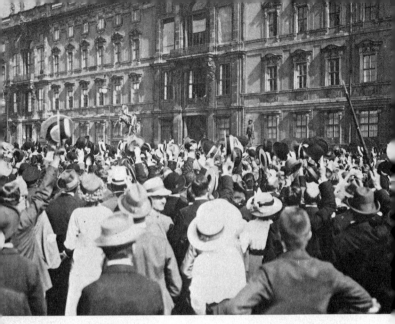

Kriegsausbruch in Berlin

Den «unzutreffenden Vorstellungen von der Gesinnung der Unter-zeichner» trat Max Planck in einem offenen Brief an Lorentz entgegen, der am 12. April 1916 im Rotterdamer «Handelsblad» veröffentlicht wurde: *Nach meiner Auffassung ... sollte und konnte jener Aufruf, in dessen Fassung sich die patriotische Erregung der ersten Kriegswochen spiegelt, nichts anderes bedeuten als einen Akt der Abwehr, vor allem der Verteidigung des deutschen Heeres gegen die wider dasselbe erhobenen bitteren Anklagen und ein ausdrückliches Bekenntnis, daß die deutschen Gelehrten und Künstler ihre Sache nicht trennen wollen von der Sache des deutschen Heeres; denn das deutsche Heer ist nichts anderes als das deutsche Volk in Waffen, und wie alle Berufsstände, so sind auch die Gelehrten und Künstler unzertrennlich mit ihm verbunden ... Was ich aber Ihnen gegenüber mit besonderem Nachdruck zu betonen wünsche, ist die feste, auch durch die Ereignisse des gegenwärtigen Krieges nie zu erschütternde Überzeugung, daß es Gebiete der geistigen und sittlichen Welt gibt, welche jenseits der Völkerkämpfe liegen, und daß ehrliche Mitwirkung bei der Pflege dieser internationalen Kulturgüter, wie auch nicht minder persönliche Achtung von Angehörigen eines feindlichen Staates, wohl vereinbar ist mit glühender Liebe und tatkräftiger Arbeit für das eigene Vaterland.*[76]

Von Erwin Planck, der auf die Île d'Aix bei La Rochelle gebracht worden war, kam regelmäßig Kriegsgefangenenpost, die den besorgten Vater sehr beruhigte. *Der Älteste, Karl, macht gegenwärtig einen Fahnenjunker-Kursus in Döberitz mit und wird wohl Mitte Juni an die Front kommen. Von meinen Töchtern ist die eine Hilfsschwester in einem hiesigen Militärlazarett, die andere ist verheiratet mit dem Professor der Geschichte Fehling in Heidelberg, gegenwärtig Leutnant der Landwehr, auf der Etappenkommandantur in Gebweiler.*[77]

Am 26. Mai 1916 fiel Karl Planck vor Verdun. «Wir Studenten waren bestürzt», berichtete eine Hörerin, «als wir einige Wochen später davon erfuhren. Wir erinnerten uns, daß Planck keine einzige Vorlesung versäumt hatte und niemals auch nur einen Anflug von Verstörung gezeigt hatte. Der Assistent sah Planck üblicherweise einmal wöchentlich in der Wohnung. Jetzt fiel ihm ein, daß eines Nachmittags der Professor ungewöhnlich herzlich gewesen war. Dieser Tag, so meinte er, muß der Tag gewesen sein, an dem die Todesnachricht gekommen sei.»[78]

Das Jahr 1917 brachte neues Leid. Die Tochter Grete starb am 15. Mai bei der Geburt ihres ersten Kindes: *Am 9. Tage nach ihrer glücklich erfolgten Entbindung wurde mein geliebtes Kind von einer plötzlich eingetretenen Lungenembolie fortgerafft, gottlob ohne daß sie eine Ahnung erhielt von dem Ernst dieser Krankheit. So ist sie auf der Höhe ihres Lebens von uns gegangen. Wir aber werden lange zu kämpfen haben, bis wir diesen Schlag überwinden. Zeit und Arbeit müssen helfen.*[79]

Mittelpunkt der physikalischen Diskussion war die Struktur des Atoms. Niels Bohr hatte 1913 sein Modell konzipiert und damit nach Plancks Ansatz von 1900 und Einsteins Lichtquantenhypothese von 1905 den dritten großen Schritt in der Entwicklung der Quantentheorie vollzogen. Planck war tief beeindruckt von der Genialität Bohrs und erwartete fortan vor allem von ihm die endgültige Lösung. Nach Kriegsende bemühte er sich (allerdings vergeblich), auch Bohr, den er mit Einstein auf eine Stufe stellte, nach Berlin zu ziehen.

Dem Ausbau der Bohrschen Gedanken widmete sich vor allem Arnold Sommerfeld in München. Anders als Planck und Einstein hatte er einen großen Kreis von Schülern, die er für die Wissenschaft heranbildete. Planck führte mit Sommerfeld eine rege Korrespondenz über diese Probleme: *Dieser Briefwechsel gipfelte sogar in einem poetischen Abschluß.* Sommerfeld nannte seine Beiträge «Blumensträußchen» auf dem von Planck seit 1900 «urbar gemachten» neuen Gebiet. In einem Brief bezeichnete er Planck als den Forscher,

> Der sorgsam urbar macht das neue Land,
> Dieweil ich hier und da ein Blumensträußchen fand.

Worauf Planck, der alte Freund, erwiderte:

> *Was ich gepflückt, was Du gepflückt,*
> *Das wollen wir verbinden,*
> *Und da sich eins zum andern schickt,*
> *Den schönsten Kranz draus winden.*[80]

Tatsächlich holten Planck, Sommerfeld und Einstein die schönste Ernte ein; die wahre Blütezeit der theoretischen Physik in Deutschland erhielt ihren Glanz von diesem Dreigestirn. Um es in eine kurze Formel zu bringen: Einstein war das Genie, Planck die Autorität und Sommerfeld der Lehrer.

Anfang 1918 beschlossen die Physiker, den bevorstehenden 60. Geburtstag Plancks offiziell zu feiern. So schrieb der als Vorsitzender der Deutschen Physikalischen Gesellschaft amtierende Einstein zweimal an Sommerfeld nach München: «Ende April haben wir eine Festsitzung zu Planck's 60. Geburtstag. Sie würden uns allen eine große Freude machen, wenn Sie zu dieser Gelegenheit einen Vortrag zur Entwicklung der Strahlungs- und Quantentheorie halten wollten... Ich glaube, daß alles geschehen soll, um Planck eine Freude zu machen.»

Am 26. April, drei Tage nach seinem Geburtstag, versammelte sich im Großen Physikalischen Hörsaal der Universität, was in der Berliner Physik Rang und Namen hatte; auch viele auswärtige Mitglieder waren gekommen. Die Anwesenheit vieler Physiker-Frauen und die fröhlich-festliche Stimmung gab der Zusammenkunft den Charakter einer Familienfeier. Nach einleitenden Worten Emil Warburgs sprach Max von Laue über «Plancks thermodynamische Arbeiten», dann Arnold Sommerfeld «Über die Entdeckung der Quanten». Weihevoll war die Rede Einsteins. Er vermochte, was die Physiker sonst nicht konnten, seiner herzlichen Zuneigung Ausdruck zu geben:

«Ein vielgestalteter Bau ist er, der Tempel der Wissenschaft. Gar verschieden sind die darin wandelnden Menschen und die seelischen Kräfte, welche sie dem Tempel zugeführt haben. Gar mancher befaßt sich mit Wissenschaft im freudigen Gefühl seiner überlegenen Geisteskraft; ihm ist die Wissenschaft der ihm gemäße Sport, der kraftvolles Erleben und Befriedigung des Ehrgeizes bringen soll; gar viele sind auch im Tempel zu finden, die nur um utilitaristischer Ziele willen hier ihr Opfer an Gehirnschmalz darbringen. Käme nun ein Engel Gottes und vertriebe alle die Menschen aus dem Tempel, welche zu diesen beiden Kategorien gehören, so würde er bedenklich geleert, aber es blieben doch noch Männer aus der Jetzt- und Vorzeit im Tempel drinnen. Zu diesen gehört unser Planck, und darum lieben wir ihn...

Die Sehnsucht nach dem Schauen jener prästabilierten Harmonie, von der Leibniz gesprochen hatte, ist die Quelle der unerschöpflichen Ausdauer und Geduld, mit der wir Planck den allgemeinsten Problemen unserer Wissenschaft sich hingeben sehen, ohne sich durch dankbarere und leichter erreichbare Ziele ablenken zu lassen. Ich habe oft gehört, daß Fachgenossen dies Verhalten auf außergewöhnliche Willenskraft und Disziplin zurückführen wollten; wie ich glaube ganz mit Unrecht. Der Gefühlszustand, der zu solchen Leistungen befähigt, ist dem des Religiösen oder Verliebten ähnlich: das tägliche Streben entspringt keinem Vorsatz oder Programm, sondern einem unmittelbaren Bedürfnis.

Hier sitzt er, unser lieber Planck, und lächelt innerlich über dies mein kindliches Hantieren mit der Laterne des Diogenes. Unsere Sympathie für ihn bedarf keiner fadenscheinigen Begründung...»[81]

Mit Niels Bohr

Wenige Monate später hallte Lärm durch den Tempel der Wissenschaft. In schreienden Schlagzeilen meldeten Extrablätter am 9. November 1918 die Abdankung des Kaisers. Philipp Scheidemann und Karl Liebknecht verkündeten den Sieg des Volkes. Vom Fenster des Reichstagsgebäudes rief der Sozialdemokrat die freie Republik aus, vom Balkon des Schlosses der Kommunist die Herrschaft des Proletariats. Die Schießereien im Regierungsviertel beschädigten auch das Gebäude der Akademie. Gewaltsam drangen bewaffnete Patrouillen ein und durchsuchten die Räume.

Verständnislos sahen die Gelehrten die Revolution vor ihren Augen ablaufen. Was tun? Einige stellten sich auf den prinzipiellen Standpunkt, der Treueeid habe nur dem König gegolten. Ihren Protest gegen das neue Regime wollten sie durch die Selbstauflösung der Akademie zum Ausdruck bringen. Die Vorsichtigen rieten, die Akademie möge sich jedenfalls auf ruhigere Zeiten vertagen. Diesen Plänen trat Planck mit Entschiedenheit entgegen: *Wenn die Akademie jetzt ihre Sitzungen unterbrechen wollte, in der Erwägung, daß es in dieser stürmischen Zeit auf etwas mehr oder weniger Wissenschaft schließlich nicht viel ankommt, so würde das nach meinem Empfinden . . . das Verkehrteste sein, was sie tun könnte . . . Wenn es wahr ist, was wir doch alle hoffen müssen und hoffen wollen, daß nach den Tagen des nationalen Unglücks wieder einmal bessere Zeiten anbrechen, so werden sie ihren Anfang nehmen von dem aus, was dem deutschen Volke als Bestes und Edelstes eigen ist: von den idealen Gütern der Gedankenwelt, denselben Gütern, die uns schon einmal, vor hundert Jahren, vor dem gänzlichen Zusammenbruch bewahrt haben.*[82]

Damals mußte der Staat, nach dem berühmten Worte Friedrich Wilhelms III., «durch geistige Kräfte ersetzen, was er an materiellen verloren» hatte, und aus der Niederlage war eine geistige Erneuerung Preußens hervorgegangen. So sollte es nach Planck auch diesmal sein: *Ebenso wie wir jetzt den Männern Dank wissen, welche damals . . . unsere Körperschaft durch die dunklen Zeiten . . . zu lichteren Höhen hindurchgeführt haben, so werden spätere Generationen auch unser Pflichtgefühl anerkennen, wenn wir heute alle Kräfte daran setzen, die uns auferlegte Prüfungszeit in Ehren zu bestehen, indem wir durchhalten und weiterarbeiten.*[83]

Der neue Staat dankte den monarchisch eingestellten Gelehrten die Loyalität. Die Republik war womöglich noch wissenschaftsfreundlicher als das Kaiserreich. Plancks Parole «Durchhalten und weiterarbeiten!» führte die deutsche Wissenschaft, insbesondere die Physik, zu neuen und noch größeren Erfolgen. Als aber Planck später, 1933, in unverändertem Pflichtgefühl abermals die Parole «Durchhalten und weiterarbeiten» ausgab, sollte sich das als ein höchst bedenklicher Rat erweisen.

Mit Wehmut, ja mit Erschütterung hatte Planck die Abdankung der deutschen Fürsten erlebt; schwer bedrückte ihn der verlorene Krieg. Daß das deutsche Volk durch Leistung, und besonders durch wissenschaftliche Leistung, den Wiederaufstieg erreichen möge, war die Hoffnung, an der er sich aufrichtete. Auch in der chaotischen Nachkriegszeit mit einer bisher noch nie dagewesenen Arbeitsunlust gab es für Planck nichts als die gewohnte Pflichterfüllung. Wenn gestreikt wurde, legte er selbstverständlich den Weg von Grunewald zur Universität zu Fuß zurück. Waren, wie so oft, die damals noch mit Dampflokomotiven betriebenen Stadtbahnzüge überfüllt, hat er die Fahrt auf dem Trittbrett mitgemacht. Es wäre ihm nicht in den Sinn gekommen, ein Taxi zu nehmen.

Im Haus war es ruhig geworden: *Ich lebe jetzt nur mit meiner Frau und meinem kleinen 7jährigen Hermann zusammen, meine Tochter . . . ist mit ihrem Gatten in Heidelberg, und mein Sohn Erwin wohnt in Berlin, wo er im Reichswehrministerium arbeitet.*[84]

In den dunkelsten Stunden der als nationale Schmach empfundenen

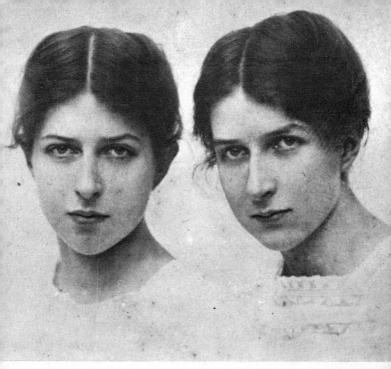

Die Zwillingstöchter Emma und Grete

Versailler Friedensverhandlungen kam hohe Anerkennung. Mitte November 1919 gab das Nobelkomitee in Stockholm die Verleihung des Physik-Nobelpreises für 1918 an Max Planck bekannt. Das große Verdienst, das sich Max Planck zwanzig Jahre zuvor durch seine Entdeckung der Naturkonstanten h und der Quantenformel $\varepsilon = h \cdot \nu$. um die Entwicklung der Physik erworben hatte, wurde durch die höchste wissenschaftliche Auszeichnung gewürdigt.

Die Freude über den Nobelpreis wurde jäh unterbrochen. Zu Plancks unsäglichem Leid wiederholte sich das schreckliche Geschehnis von 1917. Seit Plancks Tochter Grete im Wochenbett gestorben war, hatte ihre Zwillingsschwester Emma für das Kind gesorgt und später den Witwer geheiratet. Da geschah das Unbegreifliche: Auch Emma starb bei der Geburt ihres ersten Kindes, wieder einer Tochter, am 21. November 1919, und abermals überlebte das Baby. «Plancks Unglück geht mir sehr zu Herzen. Ich konnte die Tränen nicht zurückhalten, als ich ihn nach meiner Rückkehr von Rostock besuchte. Er hält sich wunderbar tapfer und aufrecht, aber man sieht ihm den nagenden Kummer an», schrieb Einstein.

Planck mußte alle Kraft aufbieten, um seine Haltung zu bewahren.

59

Schließlich muß ich Ihnen noch herzlich danken für den freundlichen Aus-
druck Ihrer Anteilnahme an meinem Ergehen in freudigen und traurigen
Schicksalswendungen. Gegen die «Unsinnigkeit» des Weltgeschehens
sträube ich mich immer noch nach Kräften und suche sie durch eine «Un-
verständlichkeit» zu ersetzen. Aber schwer wird es, diesen Standpunkt
durchzuführen.[85]

Anfang Juni 1920 wurde Max Planck nach Stockholm zur Entgegennahme des Nobelpreises geladen. Die Feier, die sonst am Todestag Alfred
Nobels am 10. Dezember stattfindet, war diesmal, nach den düsteren
Kriegsjahren, in denen es keine Verleihungen gegeben hatte, in den schwe-
dischen Frühsommer verlegt worden. In Stockholm war Deutschland mit
fünf Laureaten vertreten: den Physikern Max von Laue, Johannes Stark
und Max Planck und den Chemikern Richard Willstätter und Fritz Haber.
Persönlich freute sich Planck am meisten darüber, daß sein Schüler Max
von Laue mit in Stockholm war; politisch am wichtigsten war ihm die Auszeichnung Fritz Habers. Fritz Haber hatte 1909 das Verfahren entwickelt,
Ammoniak aus den Elementen Wasserstoff und Stickstoff herzustellen.
Durch den Synthese-Ammoniak konnten die Ernteerträge erheblich ge-
steigert werden, und Haber hatte damit der Menschheit «Brot aus Luft»
beschert. Während des Weltkriegs wurde er der «Vater des Gaskampfes»
und war von den Alliierten auf die Liste der deutschen Kriegsverbrecher
gesetzt worden. Mit der Überzeugung, im Frieden und im Kriege das Richtige für sein Vaterland getan zu haben, ertrug der Patriot die Ächtung
durch die Weltöffentlichkeit.

Haber besaß eine für einen Wissenschaftler ungewöhnliche Dickfällig-
keit. Er erzählte gern, daß er, von einer Bergtour zurückgekehrt, zugleich
mit einem Ochsen den schweißgebadeten Kopf in den Dorfbrunnen
gesteckt habe: «Da sind unter Wasser unsere beiden Köpfe vertauscht
worden.»

Da die feindseligen Gefühle zwischen den ehemaligen Kriegsgegnern
teilweise noch unvermindert anhielten, war Planck in Sorge, wie sich
Charles Glover Barkla, der englische Physik-Nobelpreisträger von 1917,
während der Stockholmer Feierlichkeiten zur deutschen Gruppe und insbesondere zu Haber stellen würde. *Er verhielt sich durchaus kollegial, ja*
herzlich, und wir erwiderten ihm natürlich sein Verhalten entsprechend.
So nahm das Ganze einen durchaus harmonischen, würdigen Verlauf,
allerdings, wie alle versicherten, nicht in so glänzender äußerer Form, wie
im Winter und bei Anwesenheit des königlichen Hofes, der ja diesmal
Trauer hatte. Eine Privataudienz beim König war alles, was wir vom Hof
zu sehen bekamen.[86]

Vom Geld ist die Rede, von wem noch?

Ja, was soll ich denn . . .

... mit dem vielen Geld anfangen? fragte der 27jährige seinen Chef, der ihm das Gehalt von 3500 auf 4500 Franken im Jahr erhöht hatte. Eine seltsame Frage, aber das war auch ein merkwürdiger junger Mann, der da im «Amt für geistiges Eigentum» in Bern arbeitete. Ein Jahr vor der Gehaltserhöhung hatte er vier naturwissenschaftliche Arbeiten geschrieben, in seiner Freizeit. Eine davon, die «Elektrodynamik bewegter Körper», reichte er später als Habilitationsschrift ein. Urteil eines Professors: «Was Sie da geschrieben haben, verstehe ich überhaupt nicht.» Diese Schrift enthielt eine Theorie, die ihn später berühmt machte. In einer zweiten Schrift hatte er die Photonen-Theorie des Lichts aufgestellt – und erhielt 16 Jahre später den Nobelpreis dafür. Und dabei hatte der Mann noch nicht einmal das Abitur gemacht.

Mit 16 Jahren war er dem Luitpoldgymnasium in München regelrecht entflohen. Ein Jahr lang blieb er danach in Italien und bewarb sich dann an einer Technischen Hochschule in Zürich, die Studenten ohne Abitur aufnahm. Aber er bestand die Prüfung nicht. Erst ein Jahr später gelang ihm der Sprung in die TH. Eine Tante aus Italien überwies ihm monatlich 100 Franken. Als er vier Jahre später die Diplomprüfung als mathematisch-physikalischer Fachlehrer bestand, versiegte die verwandtschaftliche Finanzquelle. Und da der junge Diplomlehrer keine Anstellung fand, ließ er sich als Beamter im «Amt für geistiges Eigentum» anstellen. «Dadurch wurde ich 1902–09 in den Jahren besten produktiven Schaffens von Existenzsorgen befreit», schrieb er später.

Als knapp 30jähriger schaffte er, im zweiten Anlauf, die Habilitation an der Universität Zürich. Drei Studenten hörten seine Vorlesung, zwei sprangen bald darauf noch ab. Jahre später strömten zu einem seiner Vorträge, die er in fast allen Hauptstädten der Welt hielt, 3000 Zuhörer. Aber da war er schon eine weltbekannte «Zeitungsberühmtheit», nachdem Beobachtungen bei einer Sonnenfinsternis die Richtigkeit einer seiner Theorien bestätigt hatten.

Drei Jahre vor seinem Tod wurde dem inzwischen 25fachen Ehrendoktor das Amt des Staatspräsidenten von Israel angeboten; er lehnte ab. Er, der im Laufe seines Lebens Deutscher, Schweizer und Österreicher gewesen war, starb 76jährig als Bürger der USA. Von wem war die Rede?

(Alphabetische Lösung: 5–9–14–19–20–5–9–14)

Vor dem Kriege hatte sich die Weltmacht und Weltgeltung Deutschlands – wie Planck es sah und sagte – auf drei Pfeiler gegründet: das Heer, die Industrie und die Wissenschaft. Nun, nach der erzwungenen Abrüstung und der schweren Beeinträchtigung der Industrie, stand allein noch die Wissenschaft aufrecht. Wie von selbst wuchs ihm da die Pflicht zu, den letzten Aktivposten des Reiches, die deutsche Wissenschaft, wie ein Heiligtum zu bewahren: *Wenn die Feinde unserem Vaterland Wehr und Macht genommen haben, wenn im Innern schwere Krisen hereingebrochen sind und vielleicht noch schwerere bevorstehen, eines hat uns noch kein äußerer und innerer Feind genommen: das ist die Stellung, welche die deutsche Wissenschaft in der Welt einnimmt. Diese Stellung aber zu halten und gegebenenfalls mit allen Mitteln zu verteidigen, dazu ist unsere Akademie, als die vornehmste wissenschaftliche Behörde des Staates, mit in erster Reihe berufen.*[87]

Der rasche wirtschaftliche Niedergang zwang die Wissenschaft zu immer neuen Einschränkungen. Bei der Erfüllung militärischer Aufgaben war während des Krieges in vielen Forschungsinstituten Raubbau mit Vorräten und Instrumenten getrieben worden. Die unveränderten Etats bei sprunghaft steigenden Preisen machten es unmöglich, die Verluste in den alten Beständen zu ersetzen. An Neuanschaffungen zu denken, schien absurd; dabei berichtete das Ausland laufend über bedeutsame Fortschritte mit neuen Apparaten und Verfahren. Die deutsche Wissenschaft, der letzte noch verbliebene Pfeiler, auf den sich die Weltstellung des Vaterlandes gründete, drohte zu stürzen.

In einer Besprechung zwischen Fritz Haber und Friedrich Schmidt-Ott, dem ehemaligen preußischen Kultusminister, entstand die Idee zur «Notgemeinschaft der Deutschen Wissenschaft». Max Planck und Adolf von Harnack wurden sofort ins Vertrauen gezogen – und während die innenpolitischen Wirren im Lande bürgerkriegsähnliche Ausmaße erreichten, vereinbarten diese Männer nichts Geringeres als einen engen Zusammenschluß der deutschen Wissenschaftler über alle regionalen, fachlichen und politischen Grenzen hinweg. Am 25. März 1920 befaßte sich die Preußische Akademie mit diesem Plan, und am 19. April richtete Planck als vorsitzender Sekretär an Friedrich Schmidt-Ott die Bitte, an die Spitze der zu gründenden Notgemeinschaft zu treten: *Die Sorge um die gegenwärtige bedrängte Lage der deutschen Wissenschaft, deren Ernst sich allseitig in stetig steigendem Maße geltend macht, hat die Preußische Akademie der Wissenschaften veranlaßt, den Plan der Gründung einer Notgemeinschaft der Deutschen Wissenschaft, im Verein mit den übrigen deutschen Akademien, ins Auge zu fassen, deren Aufgabe es ganz allgemein sein soll, vorliegende Notstände zu prüfen und gegebenenfalls mit Rat und Tat zu helfen.*[88]

Die neue, offiziell am 30. Oktober 1920 gegründete Vereinigung war die Selbsthilfe- und Selbstverwaltungsorganisation der deutschen Gelehrten. Durch gemeinsame Beratung und Ausgleich der Interessen wurden die dringendsten und für den Bestand der Wissenschaft wichtigsten

Bedürfnisse festgestellt, es wurde ein Notprogramm entwickelt und dadurch ein würdeloser und selbstzerstörerischer Kampf aller gegen alle um die wenigen verbliebenen Geldmittel vermieden. Das geschlossene Auftreten der Gelehrten und die Wucht der Argumente überzeugte die Politiker und Ministerialbeamten. Früher war die Wissenschaft ausschließlich Ländersache, jetzt, in dieser Notlage der Wissenschaft, erklärte sich das selber notleidende und um seine Existenz ringende Reich bereit, helfend einzugreifen.

Die Notgemeinschaft bildete für jede Wissenschaftsdisziplin einen Ausschuß aus einer kleinen Zahl angesehener Gelehrter; ihnen oblag es, die aus dem Fachgebiet eingehenden Anträge wissenschaftlich zu beurteilen. Das Präsidium und der Hauptausschuß hatten die Funktion, die Belange der einzelnen Fächer gegeneinander abzuwägen. Friedrich Schmidt-Ott wurde Präsident der Notgemeinschaft, Fritz Haber Vizepräsident. Max Planck hielt sich im Hintergrund; als Mitglied des elfköpfigen Hauptausschusses spielte er dennoch auch hier eine nicht zu unterschätzende Rolle: «Die überlegene Einsicht und Ruhe des großen Physikers Planck, der

Neue Wege der Wissenschaft

(Th. Th. Heine)

Für die Wissenschaft ist kein Geld mehr da. Die Sternwarte ist ganz heruntergekommen.

Vergeblich bittet der Astronomieprofessor die Regierung um Geldmittel.

In der äußersten Verzweiflung beschließt er, sich der Astrologie zuzuwenden.

Als Sterndeuter stellt er Kriegsgewinnern das Horoskop.

Seine Weissagungen sind bald sehr begehrt. Er verdient viel Geld.

Jetzt hat der Professor die Mittel, sich und die Sternwarte zu renovieren. Die neuesten und besten Instrumente werden angeschafft.

Die Not der Wissenschaft, dargestellt im «Simplicissimus»

zugleich als beständiger Sekretar der Berliner Akademie deren Vertreter war, machten sich oftmals wohltuend geltend», konstatierte Schmidt-Ott.

1922 erhielt die Notgemeinschaft von dem japanischen Industriellen Hoshi und später von dem amerikanischen Elektrokonzern General Electric eine Stiftung in wertvollen Devisen. Diese Mittel wurden konzentriert eingesetzt zur Klärung der Grundsatzprobleme in der Atomphysik. Der für die Verteilung der Mittel zuständige neugegründete «Elektrophysik-Ausschuß» legte unter dem Vorsitz Plancks ein großzügiges und unbürokratisches Verfahren satzungsmäßig fest. Obwohl Planck für sich in seiner Arbeit «bedenklichen Abenteuern abgeneigt» war und an bewährten wissenschaftlichen Prinzipien so lange als irgend möglich festhielt, ließ er doch andere Auffassungen gelten. Einwänden gegen die «Neuerungssucht» in der Physik erwiderte er: *Es ist wahr: Früher war die Physik einfacher, harmonischer und daher auch befriedigender. Man hatte schöne Theorien und durfte auf sie vertrauen. Heute ist das anders geworden. Neue Ideen sind aufgetaucht, nicht als überflüssiger Luxus, sondern als unerbittliche Folgerungen aus neuen Tatsachen, und die alten Anschauungen lassen sich nun einmal nicht ganz unverändert aufrechterhalten, wenn auch noch keineswegs feststeht, welcher Art die Modifikationen sind, die man daran anbringen muß. Würde die Forschung vor diesen Neuerungen zurückschrecken oder sie ignorieren, so würden wir stillstehen oder vielmehr gegenüber anderen Ländern ins Hintertreffen geraten, und daß wir dies gerade in Deutschland bisher nicht getan haben, betrachte ich als ein sehr erfreuliches Zeichen. Jede Neuerung ist mit unbehaglichen Übergangserscheinungen verbunden, und wir stehen jetzt m. E. mitten in derselben drin.*[89]

So finanzierte der Plancksche Elektrophysik-Ausschuß experimentelle und theoretische Untersuchungen, die zielsicher dort eingriffen, wo die bisherigen Vorstellungen zu unvollständigen oder falschen Aussagen führten, und dort, wo interessante Hypothesen Aussicht auf eine Lösung des Quantenrätsels boten. Das Vertrauen des Ausschusses wurde durch den Erfolg gerechtfertigt. *Zahlreiche Arbeiten haben zu Ergebnissen geführt, die für die Entwicklung der Physik von großer, zum Teil grundlegender Bedeutung sind ... Gerade an den Arbeiten von Heisenberg und Born, die der Elektrophysik-Ausschuß unterstützt hat und die ohne diese Unterstützung höchstwahrscheinlich nicht in Deutschland, sondern anderwärts hätten ausgeführt werden müssen, zeigt sich, welchen Nutzen der Elektrophysik-Ausschuß für die Entwicklung der Physik in Deutschland bereits gehabt hat.*[90]

In den größten Notzeiten nach dem Ersten Weltkrieg konnte die Wissenschaft an der Basis verbreitert werden. An fünf- bis sechshundert junge Physiker wurden Stipendien vergeben, eine erstaunlich hohe Zahl bei den nur etwa tausend in der Grundlagenforschung tätigen Physikern. Auf diese Weise hat auch Einstein eine Reihe von jungen Forschern in die Wissenschaft eingeführt. *Daß Einstein die Mittel für einen Assistenten bekommen muß, versteht sich von selbst, und ich glaube auch, daß ... der Weg, die Notgemeinschaft darum zu bitten, zunächst der zweckmäßigste ist;*

denn die hat Geld und guten Willen, auch arbeitet sie schneller als das Ministerium.[91]

Es war leicht, Einstein die kleinen Dienste in der Wissenschaft zu leisten, die ihm die Arbeit in Berlin so erfreulich machten. Schwer aber war es, in den großen Sorgen zu helfen, die die Politik bereitete. Auf der Versammlung der Deutschen Naturforscher und Ärzte in Bad Nauheim am 19. September 1920 entwickelte sich die Diskussion über die Allgemeine Relativitätstheorie zu einem dramatischen Zweikampf zwischen Albert Einstein und Philipp Lenard. Dieser richtete scharfe, bösartige Angriffe gegen Einstein mit unverhüllt antisemitischer Tendenz. Max Planck, der den Vorsitz führte, konnte zum Glück einen Tumult verhindern. Wenn er die Ruhe verloren hätte, hätte es ganz schlimm werden können.

«Hier sind erregte Zeiten seit dem scheußlichen Mord an Rathenau», schrieb Einstein zwei Jahre später, im Juli 1922, an seinen Freund Maurice Solovine: «Ich werde auch immer gewarnt, habe mein Kolleg aufgegeben und bin offiziell abwesend, aber in Wahrheit doch hier. Der Antisemitismus ist sehr groß. Die endlosen Chikanen der Entente werden letzten Endes wieder die Juden treffen.» Einstein sollte bei der bevorstehenden

Sitzung des Hoshi-(Elektrophysik-)Ausschusses

Jahrhundertfeier der 1822 gegründeten «Gesellschaft Deutscher Naturforscher und Ärzte» ein großes Übersichtsreferat halten. Nun widerrief
Einstein seine Zusage. Max Planck, der für das Jubiläumsjahr zum Vorsit-
zenden der Naturforschergesellschaft gewählt worden war und die Vorbereitungen zur Leipziger Festversammlung leitete, war über die Drohungen
der Antisemiten so aufgebracht, daß er, was es bei ihm sonst nie gab,
Schimpfworte gebrauchte. Er sprach empört von der *Mörderbande, die im
dunkeln ihre Tätigkeit unbekümmert fortsetzt*[92]: *Das beiliegende Schreiben von Einstein trifft mich wie ein Blitz aus heiterem Himmel. Also so
weit haben es die Lumpen wirklich gebracht, daß sie eine Veranstaltung
der deutschen Wissenschaft von historischer Bedeutung zu durchkreuzen*

vermögen. Einstein wird also den für die erste allgemeine Sitzung der Naturforscherversammlung, am 18. September, angekündigten Vortrag über «Die Relativitätstheorie in der Physik» nicht halten, und die Bedeutung dieser Sitzung ist dadurch auf das empfindlichste bedroht.[93]

Anfang November 1923 erhielt Einstein eine Warnung, sein Leben sei unmittelbar in Gefahr. Er entschloß sich sofort zur Abreise in die Niederlande, wo er in Leiden bei Paul Ehrenfest freundschaftliche Aufnahme fand. Wieder bestand die Gefahr, daß Einstein, des Kampfes müde, ein Angebot aus dem Ausland annehmen würde, und wieder erreichten ihn von seiten seiner Kollegen, insbesondere der Berliner Freunde, zahlreiche Bekundungen der Solidarität. Max Planck empörte sich über die Morddrohungen aus völkischen Kreisen und den dadurch auf Einstein ausgeübten Druck, das Land zu verlassen. *Ich bin ganz außer mir vor Zorn und Wut über diese infamen Dunkelmänner, welche es wagten und fertig gebracht haben, Sie von Ihrem Hause, von der Stätte Ihrer Wirksamkeit zu trennen . . . Aber tiefer als meine Empörung geht mir der Schmerz darüber, daß Sie . . . keine Lust mehr hätten, zurückzukommen . . . So möchte ich Ihnen hier nur die eine, aber herzliche und dringendste Bitte aussprechen, jetzt keinen Schritt zu unternehmen, der Ihre Rückkehr nach Berlin endgültig und für alle Zeit unmöglich machen würde.*[94]

Der Zusammenbruch des Hitler-Putsches in München am 9. November 1923 und die abermaligen Freundschaftsbeweise der Kollegen blieben nicht ohne Eindruck auf Einstein. Am 5. Dezember schrieb Planck an Lorentz: *Über Einsteins Angelegenheit habe ich mich jetzt wieder etwas beruhigt, nachdem ich mehrere Tage lang das Gefühl der Empörung und der Scham nicht los werden konnte, daß dieser Mann, um den uns die ganze Welt beneidet, durch Umtriebe der niedrigsten Art veranlaßt werden könnte, seine Arbeitsstätte zu verlassen.*[95]

Jahr um Jahr wuchsen die Pflichten. Lediglich die Leitung des «Instituts für theoretische Physik» hatte Planck zum 1. April 1921 an Max von Laue übertragen. Der sechssemestrige Vorlesungszyklus wurde regelmäßig fortgesetzt. Nacheinander erschienen die in der jahrzehntelangen Lehrtätigkeit ausgefeilten Vorlesungen auch als Lehrbücher, der letzte Band 1930. Da sich Planck im Hörsaal nach wie vor an den Text hielt, sagten die Studenten «Planck spricht wie ein gedrucktes Buch».

Die meiste Zeit kosteten die Sitzungen. An der Preußischen Akademie gab es die Gesamtsitzungen, die Sitzungen der mathematisch-physikalischen Klasse und des Sekretariats, an der Universität die Fakultäts- und Kommissionssitzungen, die Probevorlesungen, die Prüfungen und das Physikalische Kolloquium. Weiter gab es die Senatssitzungen der Kaiser-Wilhelm-Gesellschaft, die Ausschußsitzungen der Notgemeinschaft und die Sitzungen der Deutschen Physikalischen Gesellschaft.

Im Physikalischen Kolloquium gaben sich die berühmtesten Forscher ein Stelldichein, unter ihnen Einstein, Planck, Laue, Warburg, Hahn, Meitner, Haber und Nernst. Planck war stets so pünktlich, daß man nach seinem Auftauchen im Saal die Uhr stellen konnte. Als er einmal vier Minuten früher kam als gewöhnlich, rief das allgemeines Aufsehen hervor. Es stellte sich heraus, daß Planck auswärts einen Vortrag gehalten hatte und am Bahnhof Friedrichstraße etwas eher als sonst eingetroffen war.

Als Sommerfeld im Juni 1923 Planck für eine Woche zu Gastvorträgen nach München einlud, äußerte er sich einmal über seine Verpflichtungen: *Am besten sagte mir ursprünglich zu die Woche vom 6. bis 13. Januar, woran sich dann gleich die Teilnahme an der Feier von Wiens Geburtstag angeschlossen hätte. Aber nun kam die Katastrophe. Ein Blick in den Kalender von 1924 (den ich gleich anfangs hätte tun sollen) zeigt mir nämlich, daß ich vom 1. Januar bis 1. Mai den Vorsitz in der Gesamtakademie habe; das sind 4 Monate, die mit einer 16monatlichen Periode wiederkehren, in denen man unerbittlich jede Woche eine Sitzung in der Akademie vorzubereiten und zu leiten hat, und in denen der Verkehr mit den Kollegen aller Fächer und mit den Behörden gerade nur für die Erledigung der absolut notwendigen dringenden Aufgaben, wie Vorlesungen, Prüfungen usw. Zeit und Gedanken übrig läßt. Dazu kommt noch, daß mir höchst wahrscheinlich auch noch die Leitung der Friedrich-Sitzung am 24. Januar zufallen wird. Leider gehöre ich nicht zu den beneidenswerten Naturen, die jede einzelne ausgesparte Minute nach ihrem freien Belieben verwenden können, indem sie ihren Gedanken sofort eine entsprechende Richtung geben. Mir wird es im Gegenteil immer schwer, einen Gegenstand, in den ich mich eingesponnen habe, schnell zu verlassen und bei günstiger Gelegenheit schnell zu ergreifen.*[96]

Max Planck war immer noch wissenschaftlich tätig. Nach wie vor veröffentlichte er Originalbeiträge, vor allem in den Sitzungsberichten der Akademie, aber sie hatten nicht mehr die Bedeutung der früheren Arbeiten, sondern dienten mehr zur Abrundung der Theorie. Die Entdeckung der Naturkonstanten h und die Begründung der Quantentheorie in den Jahren 1899 und 1900 waren auch für den Genius eine unwiederholbare geistige Leistung. Der Physikhistoriker Hans Schimank hat es als ein psychologisches Gesetz bezeichnet, daß einem Forscher in der theoretischen Physik nur ein einziges Mal ein epochemachender Durchbruch gelingen kann.

Seit Planck die Anerkennung der Speziellen Relativitätstheorie Einsteins durchgesetzt hatte, wurden seine Übersichtsreferate, in denen er die von den Kollegen erreichten Ergebnisse ordnete und auf noch ungelöste Probleme aufmerksam machte, von allen Physikern gelesen. Was Planck anerkannte, gehörte zum gesicherten Bestand der Wissenschaft, was er bezweifelte, trug das Etikett «umstritten». Viele Kollegen unterbreiteten ihm, dem «allverehrten Meister», ihre neuen Ideen noch vor der Publikation, um sein Urteil zu erfahren. So erhielt Planck im Frühjahr 1926 von Erwin Schrödinger die Korrekturbogen der Arbeiten, mit denen die Wellenmechanik begründet wurde: *Sie können sich denken, mit welcher Teilnahme und Begeisterung ich mich in das Studium dieser epochemachenden Schriften versenke, obgleich es bei mir jetzt sehr langsam vorwärtsgeht mit dem Eindringen in diese eigenartigen Gedankengänge. Ich hoffe dabei stark auf den fördernden Einfluß einer gewissen Gewöhnung, die den Gebrauch neuer Begriffe und Vorstellungen mit der Zeit erleichtert, wie ich das schon oft erprobt habe.*[97]

Zum 1. Oktober 1926, nach Ablauf des 68. Lebensjahres und nach

Mit Marga in der Sowjet-Union

sechsundvierzigjähriger Lehrtätigkeit, wurde Planck emeritiert. Wer konnte die Nachfolge antreten? Das erste Ordinariat für theoretische Physik an der Universität Berlin galt für die Physik so viel wie der Lehrstuhl Kants für die Philosophie. Wer also sollte der Nachfolger werden? Einstein, zweifellos der größte unter den Physikern deutscher Zunge, wirkte schon in Berlin, ebenso Max von Laue, der getreueste und angesehenste der Schüler. Der Vorschlag, der schließlich unter sehr aktiver Mitwirkung Plancks zustande kam, enthielt drei glänzende Namen: 1. Sommerfeld, 2. Schrödinger, 3. Born. Eine stolze Liste! Schmerzlich für Planck mochte nur sein, daß keiner der Vorgeschlagenen von ihm selbst für die Physik herangezogen worden war.

Nachdem Sommerfeld mit Rücksicht auf seinen großen Wirkungskreis in München abgelehnt hatte, ging der ehrenvolle Ruf an Erwin Schrödinger. Der in Zürich lehrende Österreicher liebte die Natur, besonders die Alpen, und empfand Grauen vor dem Leben in der Großstadt. Andererseits bot Berlin durch Zahl und Bedeutung der Kollegen unvergleichliche Anregungen und konnte immer noch als das bedeutendste Forschungszentrum in der Welt gelten. In diesem Für und Wider schwankte Schrödinger, ob er zusagen solle. Im Juli 1927 fiel die Entscheidung in einem Gespräch mit Planck, worüber Schrödinger später in Plancks Gästebuch schrieb:

> Den Ausschlag gab ein Wort – aus langen Reihen
> Von Briefen, von Gesprächen, bunt und kraus,
> Verehrungswürdige Lippen sprachen's aus,
> Nicht drängend zwar. Ganz kurz: Mich tät es freuen.[98]

Die neue Wellenmechanik Schrödingers und die ein halbes Jahr früher von Max Born, Werner Heisenberg und Pascual Jordan konzipierte Matrizenmechanik lieferten die im Grunde seit Plancks Quantenansatz im Jahre 1900 gesuchten Rechenregeln für den Mikrokosmos Atom. Über die Richtigkeit des neuen Kalküls waren sich die Physiker einig, aber über die erkenntnistheoretische Interpretation entbrannte eine dramatische Auseinandersetzung. Die von Born begründete und von Heisenberg und Bohr vertiefte statistische Auffassung der Naturgesetze wurde von Schrödinger und Einstein heftig angegriffen: «Der Alte würfelt nicht!»

Die Entscheidung fiel im Spätherbst 1927 auf zwei Konferenzen, in Como, wo die Physiker des 100. Todestages von Alessandro Volta gedachten, und in Brüssel beim 5. Solvay-Kongreß. Niels Bohr konnte alle von Einstein erdachten scharfsinnigen Gedankenexperimente in seinem Sinne interpretieren und trug mit seinen Jüngern Werner Heisenberg und Wolfgang Pauli einen großen Sieg davon. *Wir hatten einen schönen Herbst, zuerst in Tegernsee und Tirol (Leoganger und Loferer Steinberge), dann am Comersee, wo die Volta-Woche interessante Anregungen brachte, übrigens politisch gänzlich harmlos verlief. Jetzt fahre ich nach Brüssel zum Solvay-Kongreß, der ebenfalls interessant, aber wohl auch etwas anstrengend sein wird. Ich freue mich, wenn erst das Reisen endgültig vorbei sein und das regelmäßige Leben wieder beginnen wird. Schrödinger wird gleich eine Vorlesung über Quantenmechanik halten, die jedenfalls viel Zulauf haben wird.[99]*

Die Berliner Gruppe – Schrödinger, Laue, Planck und Einstein – lehnte die «Kopenhagener Deutung» der Quantentheorie entschieden ab. Während Bohr und Heisenberg neue Wege gingen, war auch Einstein, der früher so kühn alles Bestehende zu opfern bereit war, ein konservativer Denker geworden. Max Planck und Albert Einstein konnten sich mit der statistischen Auffassung, die heute den Physikern als logische Konsequenz des von Planck selbst im Jahre 1900 eingeführten Ansatzes erscheint, nicht befreunden: *In dem Kampf zwischen Determinismus und Indeterminismus stehe ich immer noch entschieden auf seiten des ersteren, da ich der Meinung bin, daß die aufgetauchten Schwierigkeiten im Grunde nur einer unangemessenen Fragestellung entspringen.[100]* Seinen Standpunkt hat Planck in mehreren Vorträgen ausgesprochen, so am 12. November 1930 im Harnack-Haus über «Positivismus und reale Außenwelt», am 17. Juni 1932 vor der Physical Society of London über «Die Kausalität in der Natur» und am 4. Dezember 1937 in der Technischen Hochschule Mün-

Die vier Sekretäre der Preußischen Akademie: Lüders, Heymann, Planck und Rubner

chen über «Determinismus und Indeterminismus».

Die Wissenschaft ging über die Bedenken von Planck hinweg. Auch für ihn selbst galt, was er in jungen Jahren im Kampf mit dem Alten festgestellt hatte: *Eine neue wissenschaftliche Wahrheit pflegt sich nicht in der Weise durchzusetzen, daß ihre Gegner überzeugt werden und sich als belehrt erklären, sondern vielmehr dadurch, daß die Gegner allmählich aussterben und daß die heranwachsende Generation von vornherein mit der Wahrheit vertraut gemacht ist.*[101]

1928 kam der 70. Geburtstag. Gefeiert wurde diesmal nur im engsten Verwandtenkreis, denn schon im folgenden Jahre stand wieder ein Fest für die Physikerfamilie bevor: das goldene Doktorjubiläum. Am 28. Juni 1879 hatte Planck als damals Einundzwanzigjähriger in München promoviert. Das fünfzigjährige Jubiläum bedeutet für einen Gelehrten die Bilanz des wissenschaftlichen Lebenswerkes – und im Falle Planck fühlten sich alle Physiker mit angesprochen. Planck hatte nicht nur eine neue Epoche seiner Wissenschaft begründet, sondern durch Weisheit und Autorität seinen Kollegen das «goldene Zeitalter» beschert und erhalten.

Als Ausdruck ihres Dankes beschlossen die Physiker die Stiftung der goldenen Max-Planck-Medaille, die noch heute die höchste Auszeichnung der Deutschen Physikalischen Gesellschaft darstellt und, obwohl nicht mit einem Geldpreis ausgestattet, außerordentlich angesehen ist. Am 28. Juni 1929, am Tag des goldenen Doktorjubiläums, wurden die ersten beiden Medaillen verliehen: an Albert Einstein und an Max Planck selbst.

Felix Klein hat das Leben eines großen Gelehrten einmal mit einem Strom verglichen: Zuerst geht es stürmisch vorwärts mit interessanten Wendungen und Durchbrüchen, dann in ruhigerem breitem Lauf, schließlich verzweigt und verästelt es sich in Tausende von Kanälen. So war auch Plancks Einfluß längst über die Physik hinausgewachsen. Überall suchte man seine Mitwirkung, weil es ihm immer um die Sache, nie um die Person ging.

Nur durch eine systematische Zeiteinteilung war es Planck möglich, die vielen Verpflichtungen zu erfüllen.

«Punkt acht, Sommer wie Winter, erschien er zum Frühstück. Die Post wurde von seiner Frau geöffnet und sehr schnell entschieden, von wem und wie jeder Brief zu beantworten sei. Dann ging er ins Arbeitszimmer, das ebenfalls im Erdgeschoß lag. Nun mußte für den ganzen Vormittag völlige Ruhe im Hause herrschen. Wir schlichen tatsächlich auf Zehenspitzen durch das große Treppenhaus», berichtete Günther Graßmann, der mit seiner Frau, einer Nichte Plancks, eine Zeit in der Wangenheimstraße gewohnt hat: «Das Telephon war eigens so verlegt worden, daß im Studierzimmer nichts davon zu hören war. In diesen Vormittagsstunden hat er mit äußerster Konzentration gearbeitet ... Zum Mittagessen war meist nur die Familie da. Nach einem kurzen Schlaf setzte er sich an den

Leibniz-Sitzung der Preußischen Akademie der Wissenschaften

Flügel, spielte Bach, Haydn, den besonders geliebten Brahms oder Schubert und ging dann ins freie Phantasieren über. Das dauerte meist eine Stunde, dann ging er spazieren, immer bedacht, selbst in der nächsten Umgebung noch neue Wege zu entdecken. Der späte Nachmittag diente dann der Korrespondenz, der Abend der Geselligkeit im engeren oder weiteren Kreise. Noch der Siebzigjährige ging wöchentlich einmal zum Turnen und, wenn es sich machen ließ, kam er auch einmal in der Woche zu Bekannten oder zu seinem Schwager Heinrich von Hoeßlin zum Tarock.

Der Sonntag sah ihn auf ausgedehnten Wanderungen, und man sagt, nur wenige hätten die Umgebung Berlins so gut gekannt wie er. Einmal nimmt er sich vor, von Berlin an die Ostsee zu wandern, und mit der ihm eigenen Konsequenz legt er in den Pfingstferien von drei aufeinanderfolgenden Jahren je ein Drittel der Strecke zurück.»

In dem Geiger Karl Klingler hatte er einen neuen Freund gewonnen, und wie in jüngeren Jahren mit Joseph Joachim musizierte er jetzt mit Karl Klingler. Oft kam auch Albert Einstein ins Haus, meist von Frau Elsa und den Stieftöchtern Ilse und Margot begleitet. Das Trio war dann besetzt mit Max Planck am Flügel, Albert Einstein Geige und Erwin Planck Cello.

Am 10. Juni 1930 starb Adolf von Harnack. Sein Nachfolger als Kanzler des Ordens Pour le mérite wurde satzungsgemäß Planck als bisheriger Vizekanzler; aber er trat auch an Harnacks Stelle als Präsident der Kaiser-Wilhelm-Gesellschaft. Erst nach längerer Bedenkzeit konnte sich Planck entschließen, das wichtige und verantwortungsvolle Amt zu übernehmen. Auch einige Senatoren zweifelten: «Er [Planck] hatte schon lange dem Senat der Gesellschaft angehört, ohne daß man viel von ihm gemerkt hätte. Jeder wußte, daß es sich hier um eine der Größen der internationalen Wissenschaft handelte . . . und daß er vielleicht vor der Nachwelt, verglichen mit Harnack, als der Größere erscheinen würde. Aber er war unendlich bescheiden und meldete sich eigentlich nie zum Wort. Und doch war die Wahl von Planck . . . [wie Friedrich Glum, der Verwaltungsdirektor der Gesellschaft, betonte] die richtige. Es war gut, daß an die Spitze einer in erster Linie in naturwissenschaftlicher Richtung orientierten Gesellschaft nach dem Theologen ein Naturwissenschaftler trat. Es war wünschenswert, um das Ansehen der Gesellschaft in der internationalen Welt zu festigen, daß auf diesen Posten der in der ganzen Welt anerkannte größte unter den deutschen Physikern trat, es war notwendig, daß der Präsident nicht aus dem Kreise der Direktoren kam, um diesen gegenüber unabhängig und autoritativ zugleich sein zu können. Vor allem aber war es wichtig, daß der Präsident in seinem Ansehen so hoch stand, daß er wiederum einen geradezu mythischen Glanz um sich verbreitete, wie dies Harnack zu tun verstanden hatte. Und dies hat Planck getan, wenn auch auf andere Weise als sein Vorgänger. Lag das Geheimnis bei Harnack in seiner überlegenen rednerischen Begabung, so wirkte Planck durch seine Stille und Bescheidenheit, die ihn über das Getriebe der politischen, aber vielfach auch der wissenschaftlichen Kreise hinaushob. Was aber noch besonders hinzukam, war, daß er nicht nur Verehrung, sondern auch Liebe zu erwecken verstand.»[102]

Am 18. Juli 1930 trat Planck das neue Amt an. Einen Monat später fuhr

er wie gewohnt in Urlaub. In Basel holte er sich zunächst Tourenvorschlä-
ge; einige Tage darauf schrieb er an Ernst Wölfflin: *Auf Ihren freundlichen
Rat wollen wir nach Saas-Fee gelangen vom Berner Oberland aus, und
zwar über den Aletschgletscher, und nun möchte ich Sie fragen, ob Sie
vielleicht in der Lage sind, uns an einem der Orte, die oberhalb Lauter-
brunnen liegen — wir denken in erster Linie an Mürren — ein Hotel anzugeben, wo wir vor dem Antritt der Gletschertour etwa 5 Tage uns aufhalten
und in Ruhe die Eigenart der dortigen Gegend in uns aufnehmen können.*[103]

Planck hielt sich genau an das ausgearbeitete Programm. Statt aber auf
dem Jungfraujoch, wie Wölfflin vorgeschlagen hatte, in der Berghütte ein
Zimmer zu nehmen, übernachtete der zweiundsiebzigjährige Präsident

der Kaiser-Wilhelm-Gesellschaft im Massenlager: «Es wäre ihm ein leichtes gewesen, ein Einzelzimmer zu bekommen, zumal ja die Jungfraujoch-Forschungsstätte an die Kaiser-Wilhelm-Gesellschaft angegliedert war. Ein solches Zimmer sich geben zu lassen, hätte er als zu luxuriös für seine Person empfunden.»

Berliner Physiker um einen amerikanischen Gast:
Nernst, Einstein, Planck, Millikan, Laue, 1928

DAS DRITTE REICH

Die Machtübernahme durch den Nationalsozialismus beendete das «goldene Zeitalter der deutschen Physik». Unter der Parole, Deutschland groß zu machen, wurden die Größten aus dem Amt gejagt. Den Auftakt bildete die Vertreibung Einsteins aus seiner Stellung bei der Preußischen Akademie in Berlin.

Anfang 1933 war Albert Einstein auf einer Vortragsreise in den USA. Über die ersten Willkürakte und Verhaftungen in Deutschland gab er bittere Kommentare ab, die auch ihr Echo in den deutschen Zeitungen fanden. Planck verfolgte mit Bestürzung den immer drohender sich abzeichnenden Bruch zwischen Einstein und der neuen «nationalen Regierung».

In seiner noblen Gesinnung und eingewurzelten Staatsbejahung war es für Planck unvorstellbar, daß mit den beginnenden Judenverfolgungen ein vorbedachter Plan verwirklicht wurde. Planck verwechselte, wie viele andere, Ursache und Wirkung. Am 19. März 1933 schrieb er an Einstein: *Ich erfahre mit tiefer Bekümmernis allerlei Gerüchte, die sich über Ihre öffentlichen und privaten Kundgebungen politischer Art in dieser unruhigen und schwierigen Zeit gebildet haben. Ich bin nicht in der Lage, ihre*

Bedeutung zu prüfen. Nur das eine sehe ich ganz klar, daß diese Nachrichten es allen denen, die Sie schätzen und verehren, außerordentlich schwer machen, für Sie einzutreten. Doch davon will ich weniger reden, als davon, daß Ihre Stammes- und Glaubensgenossen hier dadurch in ihrer ohnehin schon schwierigen Lage keineswegs erleichtert, sondern noch viel mehr gedrückt werden.[104]

Am 29. März verlangte der im Preußischen Kultusministerium eingesetzte Reichskommissar von der Akademie die Einleitung eines Disziplinarverfahrens gegen Einstein. Eine Vermittlung schien Planck ausgeschlossen: *Denn es sind hier zwei Weltanschauungen aufeinander geplatzt, die sich miteinander nicht vertragen. Ich habe weder für die eine noch für die andere volles Verständnis. Auch die Ihrige ist mir fern, wie Sie sich erinnern werden von unseren Gesprächen über die von Ihnen propagierte Kriegsdienstverweigerung.*[105]

Zwanzig Jahre zuvor hatte Planck den jungen Einstein an die Akademie nach Berlin geholt. Die Achtung, die die zwei großen Männer füreinander empfanden, war zur Freundschaft geworden. Bei aller Verschiedenheit — der politischen Ansicht, des Alters, des Temperaments — hegten beide eine schwer bestimmbare, aber unzweifelhaft tiefreichende Verehrung zueinander. Es wurde Planck schwer, aber die Pflicht schien es ihm zu gebieten: Nur er, der Einstein berufen und nie einen Zweifel an seiner wissenschaftlichen Bedeutung und persönlichen Integrität hatte aufkommen lassen, konnte Einstein bitten, freiwillig den Austritt zu vollziehen.

Ich weiß nicht, ob Sie noch vor Ihrer Abreise aus Amerika meine beiden Briefe erhalten haben, in denen ich Sie bat, an die Akademie wegen der Verlängerung Ihres Urlaubs zu schreiben, während ich in dem andern Brief Ihnen darzulegen bemüht war, daß die Nachrichten, welche über Ihr Auftreten in die Öffentlichkeit hierher gedrungen sind, allen denen, die es gut mit Ihnen meinen, außerordentlich wehe tun.

Inzwischen hat sich zu meinem tiefen Bedauern die Lage noch erheblich verschärft, und ich persönlich habe schwere Sorgen in Bezug auf die nächste Entwicklung der Dinge. Da lese ich heute in der Zeitung, daß Sie der deutschen Gesandtschaft in Belgien die Absicht zu erkennen gegeben hätten, Ihre preußische Staatsangehörigkeit aufzugeben und damit den Austritt aus der Akademie zu vollziehen. Sollte der Inhalt dieser Nachricht zutreffen, so drängt es mich Ihnen in aller Aufrichtigkeit zu sagen, daß mir dieser Ihr Gedanke der einzige Ausweg zu sein scheint, der einerseits Ihnen eine ehrenvolle Lösung Ihres Verhältnisses zur Akademie sichert, andererseits Ihren Freunden ein unabsehbares Maß von Kummer und Schmerz erspart. Das Ihnen zu schreiben halte ich für eine vordringliche Pflicht.

Im Übrigen liegt mir am Herzen, Ihnen meine feste Zuversicht auszusprechen, daß trotz der tiefen Kluft, die unsere politischen Anschauungen trennt, die persönlichen freundschaftlichen Beziehungen niemals eine Änderung erfahren werden.[106]

Planck schrieb diesen Brief am 31. März auf dem Weg in den Urlaub auf Sizilien. Inzwischen hatte Einstein bereits sein Amt zur Verfügung gestellt: «Ich habe mir schon gedacht, daß es der Akademie lieber ist (oder wenigstens ihren besseren Mitgliedern), wenn ich meine Stellung niederlege.» Das Ziel schien erreicht; die Akademie hatte (zumindest nach außen hin) ihre Würde wahren können. So rasch aber ließ sich der «Fall Einstein» nicht abwickeln. Einstein bedeutete für die Nationalsozialisten nicht einfach nur ein Wissenschaftler jüdischer Abstammung. Er hatte als überzeugter Demokrat und Pazifist seit Jahren den Bestrebungen der Nationalsozialisten und Deutschnationalen entgegengewirkt und war Zielscheibe heftigster Angriffe gewesen.

Die Machtergreifung bot die Möglichkeit der «Abrechnung», und auch hier benutzten die Nationalsozialisten ihre Mittel. Auf «dringenden Wunsch» des im Preußischen Kultusministerium eingesetzten Reichskommissars verfaßte der als Klassensekretar amtierende Rechtsgelehrte Ernst Heymann in Abwesenheit der drei anderen Sekretare eine schmachvolle Erklärung, die am 1. April, dem Tag des «Juden-Boykotts», an dem es in der Stadt und an den Hochschulen zu beschämenden Zwischenfällen kam, veröffentlicht wurde. Die Akademie, hieß es, habe «mit Entrüstung» von der «Beteiligung Albert Einsteins an der Greuelhetze in Frankreich und Amerika Kenntnis erhalten» und sie habe «aus diesem Grunde keinen Anlaß, den Austritt Einsteins zu bedauern».

Planck blieb bis Ende April in Taormina. Hier erhielt er einen Brief des alten, nun so weit entfernten Freundes: «Ich habe mich an keiner ‹Greuelhetze› beteiligt. Ich nehme zugunsten der Akademie an, daß sie eine derartige verleumderische Äußerung nur unter äußerem Druck getan hat. Aber auch in diesem Falle wird es ihr kaum zum Ruhme gereichen, und mancher von den Besseren wird sich dessen heute schon schämen. Sie haben wahrscheinlich gehört, daß man mir auf Grund derartiger falscher Anklagen meinen Besitz in Deutschland beschlagnahmt hat. Wie das Ausland über die mir gegenüber angewandten Praktiken denkt, können Sie sich leicht vorstellen. Es wird wohl eine Zeit kommen, in der sich anständige Menschen in Deutschland unter anderem auch dessen schämen, in wie niedriger Weise man mir gegenüber sich verhalten hat. Ich muß jetzt doch daran erinnern, daß ich Deutschlands Ansehen in all diesen Jahren nur genützt habe, und daß ich mich niemals daran gekehrt habe, daß – besonders in den letzten Jahren – in der Rechtspresse systematisch gegen mich gehetzt wurde. Jetzt aber hat mich der Vernichtungskrieg gegen meine wehrlosen jüdischen Brüder gezwungen, den Einfluß, den ich in der Welt habe, zu ihren Gunsten in die Waagschale zu legen . . .

Bei alledem freue ich mich darüber, daß Sie mir in alter Freundschaft entgegengekommen sind und daß auch die stärksten äußeren Belastungen es nicht vermocht haben, unsere gegenseitigen Beziehungen zu trüben. Diese stehen in ihrer alten Schönheit und Reinheit da, ungeachtet dessen, was sozusagen weiter unten sich zuträgt. Gleiches gilt auch bezüglich meiner Beziehung zu Laue, den ich außerordentlich hoch schätze. In alter Herzlichkeit grüßt Sie und Ihre Frau Ihr Einstein.»[107]

Nach der Rückkehr Plancks beschäftigte sich die Akademie am 11. Mai noch einmal mit dem «Fall Einstein». In der Überzeugung, daß die Mitglieder der «vornehmsten wissenschaftlichen Behörde des Staates» eine besondere Loyalitätspflicht gegenüber der Regierung haben, sagte Planck, es sei tief zu bedauern, *daß Herr Einstein selber durch sein politisches Ver-*

Nummer
27
7. Juli 1929

Zeitbilder

Beilage zur
Vossischen
Zeitung

Deutschlands große Physiker.

Streich.

Prof. Planck überreicht am Tage seines goldenen Doktorjubiläums die für Fortschritte auf dem Gebiet der theoretischen Physik geschaffene Planck-Medaille seinem Fachgenossen Albert Einstein.

Die Max-Planck-Medaille

halten sein Verbleiben in der Akademie unmöglich gemacht hat. Aber ebenso unmißverständlich gab er zu Protokoll: *Ich glaube im Sinne meiner akademischen Fachkollegen sowie der überwältigenden Mehrheit aller deutschen Physiker zu sprechen, wenn ich sage: Herr Einstein ist nicht nur einer unter vielen hervorragenden Physikern, sondern Herr Einstein ist der Physiker, durch dessen in unserer Akademie veröffentlichte Arbeiten die physikalische Erkenntnis in unserem Jahrhundert eine Vertiefung erfahren hat, deren Bedeutung nur an den Leistungen Johannes Keplers und Isaac Newtons gemessen werden kann. Es liegt mir vor allem deshalb daran, dies auszusprechen, damit nicht die Nachwelt einmal auf den Gedanken kommt, daß die akademischen Fachkollegen Herrn Einsteins noch nicht imstande waren, seine Bedeutung für die Wissenschaft voll zu begreifen.*[108]

Die Willkürmaßnahmen der nationalsozialistischen Regierung folgten Schlag auf Schlag. Am 7. April war das «Gesetz zur Wiederherstellung des Berufsbeamtentums» verkündet worden, das die Entlassung aller nicht-arischen und politisch unbequemen Beamten verfügte. Für die Kriegsteil-

Albert Einstein

nehmer 1914 bis 1918 sollte das Gesetz keine Anwendung finden. Es zeigte sich, daß die Sonderrechte nur auf dem Papier standen. Nach Einstein wurden Richard Courant, Max Born, James Franck, Otto Stern und Fritz Haber vertrieben. Erwin Schrödinger legte sein Amt freiwillig nieder. Ein vielleicht noch schlimmerer Verlust war der Weggang zahlreicher jüngerer Forscher, unter ihnen die späteren Nobelpreisträger Hans Bethe, Felix Bloch und Maria Göppert-Mayer. Insgesamt emigrierten, hauptsächlich in die USA, etwa 150 ausgebildete Physiker.

Wie bei der Revolution 1918 blieb auch jetzt die Losung Plancks: «Durchhalten und weiterarbeiten». Während die Nationalsozialisten rücksichtslos der deutschen Wissenschaft die schwersten Schäden zufügten, spannte Planck alle Kräfte an, die Glieder des komplizierten Organismus am Leben zu erhalten. *Den Rücktritt von Schrödinger empfinde ich als eine neue schwere Wunde, die unserer Berliner Physik geschlagen wird, und der wir mit aller verfügbaren Energie standhalten müssen.*[109] Nicht einen Augenblick kam es Planck in den Sinn, daß es in dieser Ausnahmesituation vielleicht falsch sein könnte, die Wunden notdürftig zu flicken und damit das Unrecht vor der Welt zu verbergen.

Um das durch die Kündigungswelle besonders schwer geschädigte Kaiser-Wilhelm-Institut für Physikalische Chemie vor dem völligen Zusammenbruch zu bewahren, beorderte er Otto Hahn – der in Amerika Gastvorlesungen hielt – zurück nach Berlin. Auf Bitten Plancks übernahm Otto Hahn neben dem KWI für Chemie, dessen Direktor er seit 1928 war, nun auch noch kommissarisch das bisher unter Leitung von Fritz Haber stehende Institut. Empört über den Vandalismus der Nazis, fragte Hahn, ob man nicht eine Anzahl anerkannter deutscher Professoren für einen gemeinsamen Appell gegen die Behandlung jüdischer Professoren zusammenbringen könne: *Wenn Sie heute 30 solcher Herren zusammenbringen, dann kommen morgen 150, die dagegen sprechen, weil sie die Stellen der anderen haben wollen.*

Niemand in der ganzen Welt erwartete von dem nun fünfundsiebzigjährigen Oberhaupt der deutschen Physiker, daß er der neuen Regierung die Mitarbeit aufkündigte und ins Ausland emigrierte. Aber Planck riet auch anderen, jüngeren Kollegen, die sich in ihrer Verzweiflung über die Untaten des Dritten Reiches an ihn wandten, ausdrücklich, im Lande zu bleiben.

Die Parole «Durchhalten und weiterarbeiten», die nach dem Ersten Weltkrieg zum glänzenden Aufstieg der deutschen Wissenschaft geführt hatte, wirkte nun politisch verhängnisvoll. Nach einer langen Unterredung mit Planck entschloß sich der damals einunddreißigjährige Werner Heisenberg, trotz größter Skrupel Deutschland nicht zu verlassen. *Ich bitte Sie hierzubleiben*, sagte ihm Planck ausdrücklich. Der Plan, gemeinsam mit den Kollegen Friedrich Hund, Bartel Leendert van der Waerden, Friedrich Bonhoeffer und anderen an der Leipziger Universität die Professuren demonstrativ niederzulegen, blieb unausgeführt. Das Beispiel hätte den Triumph der Nazis über die billigen Siege für einen Augenblick unterbrechen und im Kreise der Physiker als Signal wirken können.

Dem Humanisten Planck war die nun herrschende Willkür und Gesetzlosigkeit völlig unbegreiflich; für die neuen Normen fehlte ihm, der groß dachte und groß handelte, jedes Verständnis. Seine wohlüberlegten Ratschläge waren richtig – nur nicht gerade unter der Herrschaft von gewissenlosen Verbrechern. Mutig harrte er aus, erfüllt von der Aufgabe, die geistigen Güter der Menschheit gegen die hereinbrechende braune Flut zu bewahren. Sein Beispiel bestärkte die jüngere Generation. Und weil alle durchhielten und weiterarbeiteten, entstand im Ausland der Eindruck: So schlimm ist es ja doch nicht mit diesem Nationalsozialismus. So festigte sich verhängnisvoll die Macht des Dritten Reiches.

Mit Scham und ohnmächtiger Wut, aber tatenlos sahen die deutschen Gelehrten zu, wie Kollegen über Nacht das Land verlassen mußten, Kollegen, mit denen sie jahrelang in der gleichen Fakultät gesessen, gemeinsame Lehrveranstaltungen und Forschungsprojekte durchgeführt und in deren Häusern sie oft Gastfreundschaft genossen hatten.

Besonders traurig war der Fall Fritz Haber. In der Überzeugung, in Krieg und Frieden das Richtige für sein Vaterland getan zu haben, hatte Haber die Ächtung durch die Weltöffentlichkeit getragen. Als er aber erlebte, daß nach 1933 von der neuen «nationalen Regierung» alle vom Ausland verurteilten «Kriegsverbrecher» als Heroen und Märtyrer gefeiert wurden, er dagegen – wegen seiner jüdischen Abstammung – abermals verstoßen war, verlor er sein Selbstvertrauen. Von seinem geliebten Institut Abschied nehmen zu müssen, ging über seine Kraft: «Ich habe mit eigenen Augen den wochenlangen Kampf angesehen, in welchem Haber sich zu seinem Rücktrittsgesuch durchrang», berichtete Max von Laue: «Die Anfälle von Angina pectoris, an denen er seit mehreren Jahren schon litt, häuften sich, und ich erinnere mich heute noch, wie er nach einem solchen Anfall seufzte: ‹Es ist schlimm mit solcher Krankheit. Man stirbt daran so langsam.›»

In dieser Zeit schrieb Albert Einstein an Max Born, ein Emigrant an den anderen: «Du weißt, daß ich nie besonders günstig über die Deutschen dachte (in moralischer und politischer Beziehung). Ich muß aber gestehen, daß sie mich doch einigermaßen überrascht haben durch den Grad ihrer Brutalität – und Feigheit.»

Einstein wußte nicht, daß Planck entschlossen war, bei Adolf Hitler zu intervenieren: *Nach der Machtergreifung durch Hitler hatte ich als Präsident der Kaiser-Wilhelm-Gesellschaft die Aufgabe, dem Führer meine Aufwartung zu machen. Ich glaubte, diese Gelegenheit benutzen zu sollen, um ein Wort zu Gunsten meines jüdischen Kollegen Fritz Haber einzulegen, ohne dessen Verfahren zur Gewinnung des Ammoniaks aus dem Stickstoff der Luft der vorige Krieg von Anfang an verloren gewesen wäre. Hitler antwortete mir wörtlich: «Gegen die Juden an sich habe ich gar nichts. Aber die Juden sind alle Kommunisten, und diese sind meine Feinde, gegen sie geht mein Kampf.» Auf meine Bemerkung, daß es doch verschiedenartige Juden gäbe ... darunter alte Familien mit bester deutscher Kultur und daß man doch Unterschiede machen müsse, erwiderte er: «Das ist nicht richtig. Jud ist Jud; alle Juden hängen wie Kletten zusammen. Wo ein Jude ist, sammeln sich sofort andere Juden aller Art an. Es wäre die Auf-*

Entspannung am Klavier

gabe der Juden selber gewesen, einen Trennungsstrich zwischen den verschiedenen Arten zu ziehen. Das haben sie nicht getan, und deshalb muß ich gegen alle Juden gleichmäßig vorgehen.» Auf meine Bemerkung, daß es aber geradezu eine Selbstverstümmelung wäre, wenn man wertvolle Juden nötigen würde auszuwandern, weil wir ihre wissenschaftliche Arbeit nötig brauchen und diese sonst in erster Linie dem Ausland zugute komme, ließ er sich nicht weiter ein, erging sich in allgemeinen Redensarten und endete schließlich: *«Man sagt, ich leide gelegentlich an Nervenschwäche. Das ist eine Verleumdung. Ich habe Nerven wie Stahl.»* Dabei schlug er sich kräftig auf das Knie, sprach immer schneller und schaukelte sich in eine solche Wut hinauf, daß mir nichts übrig blieb, als zu verstummen und mich zu verabschieden.[110]

Verfemt in Deutschland als Jude, verfemt im Ausland als Vater des Gaskrieges, ging Haber als gebrochener Mann in die Emigration. Verbittert starb er am 29. Januar 1934 in Basel.

Für «Die Naturwissenschaften» verfaßte Max von Laue einen würdigen Nachruf – und wurde prompt denunziert. Johannes Stark, der seit dem 1. Mai 1933 als Präsident der Physikalisch-Technischen Reichsanstalt großen Einfluß gewonnen hatte, verlangte seinen Rücktritt vom Vorstand der Deutschen Physikalischen Gesellschaft. Laue erfuhr während seines Urlaubs von den Treibereien und verständigte Planck. Wenn Planck auch das Ausmaß der Gefahr nicht erfaßte, so taten seine freundschaftlichen Ratschläge doch wohl: *Ich kann ja nun durchaus nicht voraussehen, ob und wie man gegen Sie vorgehen wird, da ich, wie Sie wissen, keine Beziehungen zu den maßgebenden Stellen habe. Aber das Eine kann ich Ihnen mit voller Sicherheit sagen, daß ich in Ihrer Lage . . . meine Rückkehr nach Berlin nicht im mindesten davon beeinflussen lassen würde, daß Jemand in der Partei irgendwo vorgesprochen hat. Nach allen meinen Erfahrungen würde jede von Ihnen ergriffene Vorsichtsmaßregel als Zeichen eines schlechten Gewissens Ihrerseits gedeutet werden, und diejenigen, welche Ihnen etwa übel gesinnt sind, würden, sobald sie etwas von Unsicherheit bei Ihnen zu entdecken glauben, sofort dreister werden und dadurch an Terrain gewinnen. Meine Maxime ist immer: jeden Schritt vorher überlegen, dann aber, wenn man ihn verantworten zu können glaubt, sich nichts gefallen zu lassen.[111]*

Planck beschloß, zum einjährigen Todestag Habers eine Gedächtnisfeier abzuhalten; als Präsident der Kaiser-Wilhelm-Gesellschaft leitete er selbst die Vorbereitungen. Zwischen dem 10. und 13. Januar 1935 gingen die Einladungen hinaus – und nun brach der Sturm los. Allen Universitätsangehörigen wurde auf Weisung von Minister Bernhard Rust die Teilnahme untersagt; die Redner erhielten Sprechverbot. «Bonhoeffer und ich», berichtete Otto Hahn, «bekamen von den Rektoren unserer Universitäten Leipzig und Berlin Mitteilung, daß wir nicht sprechen dürften. Ich selbst war aber vor kurzem aus der Berliner Universität ausgetreten. So konnte ich dies dem Rektor sagen. Er erwiderte, dann habe er kein Recht,

Zu Hause am Stehpult

mir Anweisungen zu geben.»

Getreu seiner Maxime «Jeden Schritt vorher überlegen, dann aber sich nichts gefallen zu lassen», beschloß Planck, trotz allem die Veranstaltung durchzuführen. Die Drohungen schreckten ihn nicht. Am Abend vorher sagte er zu Lise Meitner: *Diese Feier werde ich machen, außer man holt mich mit der Polizei heraus.*[112]

Planck hat die Feier gemacht. Der große Saal des Harnack-Hauses war bis zum letzten Platz besetzt. Die Feier verlief würdig und eindrucksvoll. Seine Begrüßungsansprache schloß Planck mit den Worten: *Haber hat uns die Treue gehalten, wir werden ihm die Treue halten.*

Im Sommer 1935 wurde Laue zu Gastvorträgen in die USA eingeladen und erhielt, zu seiner eigenen Überraschung, dazu die Erlaubnis des Ministeriums. *Bitte sagen Sie an alle bekannten Kollegen meine herzlichen Grüße und erwecken Sie überall Verständnis für die Schwierigkeiten, mit denen wir hier zu kämpfen haben, aber auch für den guten Willen, den wir aufzubringen suchen, ihrer Herr zu werden. Es werden ja auch wieder ruhigere und normalere Zeiten kommen.*[113]

Im Januar 1936 stand das fünfundzwanzigjährige Jubiläum der Kaiser-Wilhelm-Gesellschaft bevor. Es kennzeichnet die damalige Ausnahmesituation, daß Planck statt mit stolzer Freude mit schweren Sorgen dem Festtag entgegensah. Schon längst hatten die deutschen Universitäten ihr Selbstbestimmungsrecht eingebüßt; sie waren vom Ministerium ernannten Rektoren unterstellt worden, die im Sinne des Führerprinzips handelten. Würden die Nazis bei Gelegenheit des Jubiläums die «Gleichschaltung» der Gesellschaft bekanntgeben? Wenn in den offiziellen Festreden eine solche Ankündigung kommen sollte – wie mußte dann er als Präsident der Gesellschaft handeln, um den letzten Rest der Unabhängigkeit zu bewahren?

«Im ganzen ging es besser, als in der gespannten politischen Atmosphäre von Berlin erwartet werden konnte», berichtete die «New York Times»: «Die Regierungssprecher glorifizierten das Reich, aber sie äußerten keine Drohungen. Andererseits war die Nazi-Presse feindlich einer Organisation, die immer noch einigen ‹Nicht-Ariern› ermöglicht, ihre Forschungen weiterzuführen. Max Planck ging, zu seiner unvergänglichen Ehre, so weit wie es der gesunde Menschenverstand erlaubte in der Verteidigung der alten wissenschaftspolitischen Grundsätze und wiederholte seine Überzeugung, daß Persönlichkeit und Sachverstand in der wissenschaftlichen Forschung mehr zählen als Rasse oder Diktatur. Wird es der Gesellschaft möglich sein, ihre Arbeit im alten freiheitlichen Geiste fortzusetzen? Sie ist keine private Institution mehr. Sie wird teilweise vom Staat finanziert, und in den Verwaltungsgremien sitzen Regierungsvertreter. Trotz Max Plancks Einfluß hat sie ihre hervorragenden Persönlichkeiten verloren. Wo ist Fritz Haber? Tot in einem Flüchtlingsgrab. Wo sind Einstein, Franck, Plaut, Fajans, Freundlich? Vertrieben oder entlassen. Wo sind die unbekannten ‹nicht-arischen› Assistenten der Großen? Niemand weiß es. Das Schicksal von selbst solchen Berühmtheiten wie Otto Warburg und Otto Meyerhof ist eingestandenermaßen höchst unsicher. Daß einige hervorragende ‹Nicht-Arier› geblieben sind, ist Max Planck zu ver-

Fritz Haber

danken. Wie das Schicksal der Universitäten ist die Zukunft der Kaiser-Wilhelm-Gesellschaft und ihrer Institute dunkel. Eine Organisation, für die nur das Können gilt, die es ablehnt, sich durch Ideen von Rasse und Religion beeinflussen zu lassen, und die an das Recht des Genies glaubt, seinen eigenen Weg zu gehen, hat keinen Platz in einem von Fanatikern beherrschten totalitären Staat. Wie die Dinge liegen, leistet die deutsche Wissenschaft in der Verteidigung der Integrität der Kaiser-Wilhelm-Gesellschaft den letzten Widerstand.»[114]

Den Bericht hat Planck *mit sehr gemischten Gefühlen gelesen, denn ich halte derartige Notizen in der ausländischen Presse für sehr gefährlich und würde mich nicht wundern, wenn gerade das, was wir vermeiden wollen, nämlich die Hinlenkung der öffentlichen Aufmerksamkeit auf Männer wie Meyerhof und Warburg durch einen solchen Artikel direkt in Szene gesetzt würde.*

Auch Lise Meitner wirkte noch immer als Mitglied der Kaiser-Wilhelm-Gesellschaft. Als österreichische Staatsangehörige war sie zwar vorerst nicht von den nationalsozialistischen Rassengesetzen betroffen, aber trotzdem als Jüdin manchen Anfeindungen ausgesetzt. Ende 1936 hatte Laue eine Idee: *Der Plan, Frl. Meitner für einen Nobelpreis vorzuschlagen, ist mir sehr sympathisch. Ich habe ihn schon im vorigen Jahr ausgeführt, insofern ich für den Chemiepreis 1936 die Teilung zwischen Hahn und Meitner vorschlug. Aber ich bin von vornherein mit jedem Modus des Vorschlags einverstanden, den Sie in dieser Richtung mit Hrn. Heisenberg verabreden.*[115]

Lise Meitner und Otto Hahn standen Planck persönlich nahe; aber er hätte sie niemals für den Nobelpreis benannt, wenn er nicht von ihren wissenschaftlichen Pionierarbeiten auf dem Gebiete der Kernphysik vollkommen überzeugt gewesen wäre. Scherzhaft meinte er einmal, *daß der Jahrgang 1879 für die Physik besonders prädestiniert sei: 1879 seien Einstein, Laue und Hahn geboren – und auch Lise Meitner müsse man dazurechnen, nur sei sie als vorwitziges kleines Mädchen schon im November 1878 zur Welt gekommen; sie habe ihre Zeit nicht abwarten können.*

Inzwischen war auch von anderen der Nobelpreis als eine Möglichkeit erkannt worden, zugunsten politisch Gefährdeter einzugreifen. Carl von Ossietzky, dem deutschen Pazifisten, der im Konzentrationslager Esterwegen fast zu Tode gequält worden war, wurde Ende 1936 der Friedenspreis verliehen. Die Nazis schäumten. Gehässige Angriffe gegen die Nobelstiftung waren an der Tagesordnung. Schließlich wurde deutschen Staatsangehörigen die Annahme des Preises überhaupt verboten. *Ja, der Nobelpreis! Es könnte einem das Herz umdrehen, wenn man an den krassen Unverstand auf deutscher Seite denkt.*[116]

Der Präsident der Kaiser-Wilhelm-Gesellschaft hatte seine Amtsräume im Berliner Schloß, Portal III. Als Nachbar nebenan amtierte der Präsident der Notgemeinschaft der Deutschen Wissenschaft. In den ersten Jahren war das Friedrich Schmidt-Ott gewesen, der «Freund, Patron und Haushalter der deutschen Wissenschaft», mit dem Planck seit Jahrzehnten vertrauensvoll zusammengearbeitet hatte. Im Juni 1934 war es dann in der Notgemeinschaft zur Machtergreifung der Nationalsozialisten gekommen. Auf Anweisung des Reichserziehungsministers trat Johannes Stark an die Spitze der Deutschen Forschungsgemeinschaft, wie sich die Notgemeinschaft fortan nannte.

Nur der Distanz, die Planck zu dem leicht pathologisch veranlagten Kollegen zu wahren wußte, der längst zum Außenseiter in seiner Wissenschaft geworden war, ist es zu danken, daß es ohne laute Auseinandersetzungen abging. An der Vornehmheit Plancks scheiterte der große Polterer. In seiner Wut polemisierte Stark vor nationalsozialistischen Studenten: «Einstein ist heute aus Deutschland verschwunden ... Aber leider haben seine deutschen Freunde und Förderer noch die Möglichkeit, in seinem Geiste weiterzuwirken. Noch steht sein Hauptförderer Planck an der Spitze der Kaiser-Wilhelm-Gesellschaft, noch darf sein Interpretator und Freund, Herr v. Laue, in der Berliner Akademie der Wissenschaften eine physikalische Gutachterrolle spielen, und der theoretische Formalist Werner Heisenberg, Geist vom Geiste Einsteins, soll sogar durch eine Berufung ausgezeichnet werden.»

Die Amtszeit Plancks als Präsident der Kaiser-Wilhelm-Gesellschaft war bereits am 1. April 1936 abgelaufen. Die Reichsregierung gab zu verstehen, daß man an dieser Stelle eine andere Persönlichkeit wünsche, und Planck erklärte daraufhin, er wolle nicht wiedergewählt werden. Hier sah Johannes Stark eine neue Chance. Er bot sich Reichsminister Rust für das Amt an – eine katastrophale Aussicht für die Gesellschaft. Zum Glück zögerte das Ministerium. Als sich Carl Bosch zur Verfügung stellte, der als Chemiker und Wirtschaftsführer höchstes Ansehen genoß, war die Gesellschaft gerettet.

Die feierliche Amtsübergabe Ende Mai 1937 war wie das fünfundzwan-

zigjährige Jubiläum im Vorjahr ein Barometer der politischen Spannung in Berlin. Der amerikanische Botschafter William E. Dodd notierte: «Heute ging ich zu einem Abendessen der Kaiser-Wilhelm-Gesellschaft, zum Amtsantritt des neuen Präsidenten, der den früheren Präsidenten, meinen Freund Planck, ablöste. Die Kaiser-Wilhelm-Gesellschaft ist nicht nazistisch, und einige hervorragende Industrielle, die zugegen waren, zeigten deutlich ihre Einstellung. Sie hatten keine Partei-Abzeichen angesteckt, und als andere zu ihnen zur Begrüßung kamen, sagten sie nicht ‹Heil Hitler›.»[117]

Von besonderer Maßlosigkeit war daraufhin ein Artikel Starks im «Schwarzen Korps», der Zeitschrift der SS. Planck, Sommerfeld und Heisenberg wurden als «Weiße Juden» und als «Statthalter Einsteins im deutschen Geistesleben» geschmäht: «Es gibt vor allem ein Gebiet, wo uns der jüdische Geist der ‹Weißen Juden› in Reinkultur entgegentritt und wo die geistige Verbundenheit der ‹Weißen Juden› mit jüdischen Vorbildern und

Lehrmeistern stets einwandfrei nachzuweisen ist: die Wissenschaft. Sie vom jüdischen Geist zu säubern, ist die vordringlichste Aufgabe.»[118]

Wenige Monate später, im November 1937, feierte die Physikalisch-Technische Reichsanstalt ihr fünfzigjähriges Bestehen. In der Reichsanstalt waren vor und um die Jahrhundertwende die Messungen über die Eigenschaften der schwarzen Wärmestrahlung durchgeführt worden. Von diesen Experimenten geleitet, hatte Max Planck zunächst im Oktober 1900 die richtige Strahlungsformel und dann, im November des gleichen Jahres, den epochemachenden Quantenansatz $\varepsilon = h \cdot \nu$ gefunden. Seither hatte sich Max Planck der Reichsanstalt verbunden gefühlt.

Nun war seit Mai 1933 Johannes Stark Präsident der Reichsanstalt. Laue riet dringend, Planck möge der Feier fernbleiben, denn mit Stark könne es keine Gemeinsamkeit geben: *Ich habe mir die Sache auf Ihre Anregung hin noch einmal gründlich überlegt und die Umstände, die für und die gegen meine Beteiligung sprechen, sorgfältig gegeneinander abgewogen. Aber ich komme immer wieder zu dem Schluß, daß die Reichsanstalt mir wichtiger ist als die Person des Herrn Stark. Ich habe vor 50 Jahren die Vorgänge bei der Gründung der Reichsanstalt unter Helmholtz und Siemens persönlich verfolgt, habe mich über die dort ausgeführten Arbeiten, soweit sie mich interessierten, stets möglichst auf dem laufenden gehalten und dabei die Anregung zu meinen besten Arbeiten empfangen. Soll ich nun die Reichsanstalt entgelten lassen, daß sie leider gegenwärtig einen ungeeigneten Präsidenten hat? Das hieße doch die Bedeutung von dessen Persönlichkeit zu hoch einschätzen! Sie verhindert ja auch nicht, daß auch gegenwärtig in der Anstalt Wertvolles geleistet wird. Es ist einfach ein Gefühl der Dankbarkeit, was mich veranlaßt, der Feier als passiver Zuschauer beizuwohnen.*[119]

In einer Zeit, in der Fanatiker und Rabauken das große Wort führten, in der eine «Weltanschauung» des Hasses und der Gewalt gelehrt wurde, fühlten sich die Menschen, für die nach wie vor höhere, geistige Werte galten, um so enger verbunden. Ihr großes Fest wurde – in einer Zeit der politischen Hochspannung – der 80. Geburtstag Plancks. Längst war Planck nicht mehr nur das Oberhaupt der Physiker; er galt der Universität, der Kaiser-Wilhelm-Gesellschaft, den Gelehrten- und Künstlerkreisen in Berlin und in ganz Deutschland als Repräsentant.

Am Morgen des 23. April 1938 feierten die Verwandten und Freunde. Karl Klingler kam mit seinem Quartett. Am späten Nachmittag begann der offizielle Teil mit der wissenschaftlichen Sitzung im Helmholtz-Saal des Harnack-Hauses. Das Kammerorchester der Staatlichen Hochschule für Musik spielte das «Dritte Brandenburgische Konzert», das er so liebte, und die «Kleine Nachtmusik».

Ernst Brüche hielt die Reden auf Tonband fest; dazu hatte er im Blumenschmuck des Festsaales Mikrophone versteckt. Die Aufnahmen glückten überraschend gut und vermitteln uns noch heute – als Schallplatte «Stimme der Wissenschaft» jedermann zugänglich – einen Eindruck von der festlichen Atmosphäre:

«So groß das Auditorium auch gewesen sein mochte (die Treppen zwischen den ansteigenden Sitzreihen des großen Vortragssaales waren über-

Walther Nernst und Lise Meitner

füllt) – NS-‹Größen› zeigten sich nicht darunter. Erst recht nicht unter den Ehrengästen ... Professor Ramsauer begrüßte den Botschafter Frankreichs und den Gesandten der Schweiz, den Prorektor der Universität und den Rektor der Technischen Hochschule Berlin, die Sekretare der Preußischen Akademie der Wissenschaften und den Präsidenten der Kaiser-Wilhelm-Gesellschaft.

Neben den wissenschaftlichen Spitzen wurden die Delegierten der befreundeten Vereine willkommen geheißen. Auch die Vertreter des Auswärtigen Amts und des Ministeriums für Wissenschaft, Erziehung und Volksbildung wurden erwähnt – aber kein Gruß galt einem Vertreter jener Amtsstellen und Gruppen, die der auf Wahrheit und Freiheit gegründeten Wissenschaft und in besonderem Maße den Physikern so fernstanden.»[120]

Die Ansprachen hielten Eduard Grüneisen, Peter Debye und Max von Laue. Den Höhepunkt bildete die Überreichung der goldenen Max-Planck-Medaille an den französischen Botschafter André François-Poncet, der sie für den erkrankten Louis de Broglie in Empfang nahm.

Max Planck hat die demonstrative Ehrung eines französischen Wissenschaftlers durch die Deutsche Physikalische Gesellschaft während der großen Geburtstagsfeier bewußt herbeigeführt: Der Verleihung ging eine

Abstimmung unter den bisherigen Inhabern der Medaille voraus, worüber Sommerfeld an Einstein schrieb: «Ich habe de Broglie auf Wunsch von Planck an die erste Stelle gesetzt ... ich konnte nicht umhin, den Wunsch von Planck widerspruchslos zu erfüllen.»

Jetzt, bei der Feier seines 80. Geburtstags, ergriff nach den Festrednern Planck selbst das Wort. Er erzählte von seiner Verbundenheit zur Physikalischen Gesellschaft, leitete zur Laudatio auf Louis de Broglie über und wandte sich dann an den französischen Botschafter. In einer Zeit, in der die Reichsregierung die Sudetenkrise provozierte, um die Tschechoslowakei unter ihre Herrschaft zu zwingen – was vor allem in Frankreich große Beunruhigung hervorrief –, machte sich Planck zum Sprecher des geistigen Deutschland: *Ich habe nach all meinen Erfahrungen im Inland und im Ausland die feste Überzeugung gewonnen, daß das französische Volk nicht minder sehnlich und ehrlich als das deutsche einen wahrhaften Frieden herbeiwünscht – einen Frieden, der es beiden Teilen ermöglicht, der produktiven Arbeit ohne Störung nachzugehen. Möge ein gütiges Geschick es fügen, daß Frankreich und Deutschland zusammenfinden, ehe es für Europa zu spät wird!*[121] Das war allen nach dem Herzen gesprochen. Die Stimmung ging entschieden gegen den Krieg. Die Mehrzahl der Anwesenden ahnte es wohl, daß der Weg in den Abgrund führen mußte.

Nach Minuten der Besinnung wurde es wieder fröhlich; die «Nachsitzung» begann. Ernst Brüche berichtete: «Man war zum Goethe-Saal zu einer festlichen Tafel hinübergewandert. Die Physiker hatten eine humor-

Arbeitszimmer des Präsidenten der Kaiser-Wilhelm-Gesellschaft

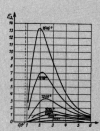
volle Speisekarte als ‹Nahrungsmatrix› zusammengestellt, die mit ‹supra-
leitendem Pfirsich› abschloß. ‹Ein so hohes und schönes Fest wie das heuti-
ge›, begann Geheimrat Arnold Sommerfeld seine Tischrede, ‹verlangt
gebieterisch nach einem Spruch in gebundener Rede.› Und dann dekla-
mierte Sommerfeld eine Festkantate von Gottfried Keller, interpretierte
Kellers ‹Wir führen Waage, Stab und Uhr› im Sinne von Materie, Raum
und Zeit und kam so zu Planck und dem Wirkungsquantum. Nach ihm
überbrachten Herausgeber großer physikalischer Zeitschriften dem Jubilar ihre Glückwünsche. Professor Kopff sprach als Vertreter der Astronomen; er berichtete von dem Beschluß, den kleinen Planeten Nr. 1069 nun-
mehr ‹Stella Planckia› zu nennen. Max Planck antwortete mit beglücken-
der Klarheit der Stimme und Wärme des Herzens. Er dankte jedem Redner
einzeln und wußte mit der Güte des großen Menschen jedem das Passende
zu sagen. Was danach kam, war frohes Tafeln und menschliche Begegnung. Dazwischen Meisterwerke großer Musiker, ausgewählt für einen
großen Physiker, der in seiner Jugend geschwankt hatte, ob er Musik oder
Physik studieren solle; ferner die Vorführung der ersten Filmaufnahmen

des Nordlichts – und zum Abschluß die scherzhafte Theateraufführung. ‹Die Präzisionsbestimmung des Planckschen Wirkungsquantums› präsentierte sich witzig als physikalischer Einakter. Als Akteure traten auf: der Geheimrat (Sommerfeld), der Professor (Debye), der Assistent (Stuart), der Laboratoriumsdiener (Ruska) und zwei Versuchspersonen (Heisenberg und Gerlach). Das durch die Schauspieler wie das Thema ausgezeichnete, vergnügliche Spiel endete mit der Aufgabe eines Telegramms an Max Planck, z. Z. Harnack-Haus, über das Ergebnis: ‹überreichen als geburtstagsgeschenk neuen präzisionswert des wirkungsquantums h = 6,543210 · 10 ^{27} stop weitere dezimalen wegen heisenbergscher ungenauigkeit nicht angebbar stop debye.› Der Vorhang fiel. Im Saal erschien ein Postbote, der dem Jubilar das Telegramm überreichte.»[122]

Die Schüler, Freunde und Verehrer in der ganzen Welt gedachten an diesem 23. April 1938 des großen Gelehrten und Menschen. Planck erhielt etwa 900 Gratulationen. Um sie zu beantworten, hat er, wie Günther Graßmann schrieb, «sich nicht jene Karte drucken lassen, mit der uns heute sogar junge Brautpaare wissen lassen, daß sie außerstande seien, jedem einzelnen zu danken. Pünktlich nahm er jeden Tag ein oder zwei Stunden und schrieb zwölf Briefe, und nach knapp drei Monaten hatte jeder, vom Minister bis zum ehemaligen Dienstmädchen, seinen persönlichen, handschriftlichen Dank in Händen.»[123]

Ende des Jahres legte Planck sein Amt als beständiger Sekretar der Preußischen Akademie nieder. Länger als ein Vierteljahrhundert war er an der Spitze der «vornehmsten wissenschaftlichen Behörde des Staates» gestanden. Von 1912 an hatte er «getreu dem Geiste ihres Stifters Leibniz» in politisch schwerer Zeit eine wissenschaftlich glanzvolle Epoche der Akademie mitbegründet, mit seiner klaren Handschrift die Protokolle ausgefertigt und alle Vorgänge festgehalten. Jetzt, mit über achtzig Jahren, trat er zurück – nicht aus Altersgründen, sondern aus Protest gemeinsam mit den drei anderen beständigen Sekretaren. Der Akademie war nach dem «Führerprinzip» ein kommissarischer Präsident, der nationalsozialistische Mathematiker Theodor Vahlen, aufoktroyiert worden. Nach den Universitäten und der Deutschen Forschungsgemeinschaft war nun auch die Preußische Akademie «gleichgeschaltet».

Von den Niedrigkeiten des Lebens im Dritten Reich richtete Planck seinen Blick *höher hinauf in eine andere Welt, die sich himmlisch über diese erhebt.* Auf einer Reise ins Baltikum im Mai 1937 hielt er zum erstenmal den seither oft wiederholten Vortrag über Religion und Naturwissenschaft. Er ist von Plancks wunderbaren Reden wohl die allerschönste. Sein Denken und Empfinden, die durch den Panzer der persönlichen Zurückhaltung und der Konventionen bei den sonstigen Vorträgen nur durchscheinen, kommen hier voll zum Ausdruck.

«Nun sag, wie hast du's mit der Religion?» – Wenn je ein schlicht gesprochenes Wort in Goethes Faust auch den verwöhnten Hörer persönlich erfaßt und in seinem eigenen Innern eine heimliche Spannung erregt, so ist es diese bange Gewissensfrage des um ihr junges Glück besorgten unschuldigen Mädchens an den ihr als höhere Autorität geltenden Geliebten. Denn es ist dieselbe Frage, die seit jeher ungezählte nach Seelenfrieden

und zugleich nach Erkenntnis dürstende Menschenkinder innerlich bewegt und bedrängt...

So wenig sich Wissen und Können durch weltanschauliche Gesinnung ersetzen lassen, ebensowenig kann die rechte Einstellung zu den sittlichen Fragen aus rein verstandesmäßiger Erkenntnis gewonnen werden. Aber die beiden Wege divergieren nicht, sondern sie gehen einander parallel, und sie treffen sich in der fernen Unendlichkeit an dem nämlichen Ziel...

Es ist der stetig fortgesetzte, nie erlahmende Kampf gegen Skeptizismus und gegen Dogmatismus, gegen Unglaube und gegen Aberglaube, den Religion und Naturwissenschaft gemeinsam führen, und das richtungsweisende Losungswort in diesem Kampf lautet von jeher und in alle Zukunft: Hin zu Gott! [124]

Max Planck war kein guter Redner im landläufigen Sinne; er sprach schlicht, aber gerade darum spürten die Hörer, daß er es ehrlich meinte. Was er sagte, stand eklatant im Widerspruch zur «Weltanschauung» des Regimes; der Vortrag war ein Bekenntnis zu höheren geistigen und moralischen Instanzen und wurde auch so verstanden: «Die studentische Jugend war es», berichtete der Meteorologe Heinrich von Ficker, «die immer den großen Vortragssaal füllte, und nie werde ich den jubelnden Beifall vergessen, mit dem diese Jugend am Schlusse seine Mahnung: ‹Hin zu Gott!› aufnahm. Da gab es keine politischen und religiösen Glaubensunterschiede in dieser jubelnden Jugend, da wußte ein jeder: ‹Da oben steht ein großer Deutscher, ein Forschender und ein Bekenner!›»[125]

Plancks Religiosität ist vielfach im Sinne einer kirchlichen Bindung interpretiert worden, zumal er von 1920 an als Kirchenältester in Berlin-Grunewald amtierte. Später, 1947, hat die «Neue Zeitung» sogar berichtet, Planck sei zum Katholizismus übergetreten. Das sind Mißverständnisse. Von Planck selbst wurde eindeutig klargestellt, *daß ich selber seit jeher tief religiös veranlagt bin, daß ich aber nicht an einen persönlichen Gott, geschweige denn an einen christlichen Gott glaube* [126]. Planck war Pantheist, er glaubte an den Gott von Spinoza und Goethe: *Seine Wege sind nicht unsere Wege, aber das Vertrauen auf Ihn hilft uns durch die schwersten Prüfungen hindurch.* [127]

In Plancks Haus wurde niemals gebetet. Als er aber später, im letzten Kriegsjahr, auf einem Gutshof evakuiert war, hat er bei Abwesenheit des Hausherrn ohne Zögern das Tischgebet übernommen. Ein religiöses Symbol war ihm eben «ein mehr oder weniger» unvollkommener Hinweis *auf ein Höheres, das den Sinnen nicht direkt zugänglich ist.* Es war das Vergängliche, das Relative, hinter dem sich das Unvergängliche, das Absolute, verbarg.

Ein Teil der höheren Welt, in die sich Planck aus dem Alltag flüchtete, war und blieb die Musik. Die Trio-Abende mit dem Geiger Karl Klingler und seinem Sohn Erwin schenkten ihm schöne Stunden. Immer noch besuchte er die Konzerte der Musikhochschule. Mit dem Beginn wartete man regelmäßig, bis er eintraf, und oft kam es dann im kleineren Kreise dazu, daß er, von den Vortragenden selbst gebeten, sein sachverständiges Urteil abgab.

Die Phyſikaliſche Geſellſchaft zu Berlin
beehrt ſich

Herrn Oberbaurat Seidel

und Frau Gemahlin

einzuladen

zu einer Feier des 80. Geburtstages ihres Ehrenmitgliedes
Herrn Geheimrat Profeſſor Dr. Max Planck
am Sonnabend, dem 23. April 1938,
im Harnack-Haus in Berlin-Dahlem, Eingang Ihneſtraße 20.

I. TEIL:

Feſtſitzung im Helmholtz-Saal des Harnackhauſes.
Beginn 18 Uhr pünktlich.

1. Begrüßungsanſprache des Vorſitzenden der Phyſikaliſchen Geſellſchaft zu Berlin, Profeſſor Dr. C. Ramsauer,
2. Anſprache des Schriftleiters der Annalen der Phyſik, Geheimrat Profeſſor Dr. E. Grüneiſen,
3. Anſprache des Vorſitzenden der Deutſchen Phyſikaliſchen Geſellſchaft, Profeſſor Dr. P. Debye,
4. Verleihung der Planck-Medaille durch Geheimrat Profeſſor Dr. M. Planck,
5. Wiſſenſchaftlicher Vortrag, Profeſſor Dr. M. von Laue:
   Supraleitung und ihre Beeinfluſſung durch Magnetismus.

II. TEIL:

Feſteſſen im Goethe-Saal des Harnackhauſes.
Beginn 20 Uhr.

1. Gemeinſames Abendeſſen,
2. Muſikaliſche Darbietungen des Kammerorcheſters der ſtaatlichen Hochſchule für Muſik in Berlin. Dirigent Profeſſor Dr. Fritz Stein,
3. Vorführung eines Filmes von Nordlichtaufnahmen.

C. Ramsauer
Vorſitzender der Phyſikaliſchen Geſellſchaft zu Berlin.

Anzug: Frack. dunkler Anzug oder Uniform.
Verkehrsverbindungen zum Harnackhaus: U-Bahnhof Thielplatz.
Autobus M.

U. g. A. w. g. bis ſpäteſtens 20. April an Prof. Dr. W. Grotrian. Berlin-Charlottenburg 5, Wundtſtraße 46.

«Der Kreis all derer, welche Planck näher oder ferner, freundschaftlich oder amtlich verbunden waren», berichtete Wilhelm Westphal, «war inzwischen viel zu groß geworden, als daß das Haus in der Wangenheimstraße sie noch alle hätte fassen können. Doch werden viele . . . sich noch der wundervollen Feste erinnern, die Planck und seine Gattin bei ganz besonderen Gelegenheiten im Harnackhause [der Kaiser-Wilhelm-Gesellschaft] veranstalteten. Hier sah man die geistige Elite Berlins zusammen mit den nächsten Freunden des Hauses versammelt. Es waren repräsentative Feste ganz großen Stiles, denen dennoch Planck und seine Gattin durch den Charme ihrer Persönlichkeiten den Charakter intimer Familien-

Religion
und Naturwiſſenſchaft

Vortrag, gehalten im Baltikum (Mai 1937)
5. unveränderte Auflage.
32 Seiten. 1938. 8°. RM. 1.50

Das Schöne und Beglückende an diesen Ausführungen
ist die ruhige Bescheidenheit, mit der Planck zu
seinen Problemen Stellung nimmt. Ein Mann mit höch-
stem Weltruhm, ein Forscher, dessen Arbeit das physikalische Weltbild stärker verändert hat, als irgendein
anderer, geht an die Grundfrage seiner Wissenschaft mit
einer so vorsichtigen Zurückhaltung, wie sie gerade auf
diesem Gebiet nicht eben die Regel zu sein scheint.
Er kommt nicht mit dem Autoritätsanspruch des Mannes,
der auf Grund seiner Arbeit einen Anspruch auf Ge-
hörtwerden hätte. Skeptisch gegen die eigene Betrach-
tung, klug geworden durch die Erfahrungen, die viele
Jahrhunderte vor ihm gemacht haben, tritt er an die
Diskussion heran.   *Deutsche Zukunft*

Planck geht den naturwissenschaftlichen Weg zur Religion, aufrecht, klar, nicht überredend, sondern über-
zeugend – ein Beispiel, dem man in unseren Tagen der ver-
wirrten Kämpfe um die Religion mit besonderer Ehrfurcht
seine Reverenz erweist. *Paul Fechter/Berliner Tageblatt*

JOHANN AMBROSIUS BARTH / VERLAG / LEIPZIG

feste zu geben verstanden. So spielte Planck einmal selbst mit Hermann
Diener und Mitgliedern seines Collegium Musicum Schuberts Forellen-
quintett (und danach wurden dann wirklich Forellen serviert).»[128]

Die schrillen Töne der Propaganda störten die Harmonie der Seele. Kam
Erwin, der nächste und beste Freund, in die Wangenheimstraße, zogen
sich die beiden Männer alsbald zurück, meist zum Gespräch über die poli-
tische Lage. Als Staatssekretär im Reichskanzleramt hatte Erwin Planck
noch am Tag der Machtergreifung sein Amt zur Verfügung gestellt. Er
hielt Verbindung mit Politikern und Offizieren, die in scharfer Opposition
zum Nationalsozialismus standen. Mit tiefer Besorgnis verfolgte er die
Entwicklung.

Die schlimmsten Ahnungen wurden von der Wirklichkeit übertroffen.
Auf Befehl Hitlers überzogen seit dem 1. September 1939 die deutschen
Armeen ein Land Europas nach dem anderen mit Krieg. Die Mahnung
Plancks bei der Feier seines 80. Geburtstages: *Mögen Deutschland und
Frankreich zusammenfinden, ehe es für Europa zu spät wird*, war wir-
kungslos verhallt. Es war zu spät. Nach Beginn des Jugoslawien-Feldzugs

Mit Karl Klingler

schrieb Planck an den Freund Laue: *Der Friede rückt anstatt näher immer weiter in die Ferne. Wie lange soll dieser Wahnsinn, dieser Selbstmord unserer gepriesenen Rasse noch dauern. Es ist zum Verzweifeln. Aber ich hoffe immer noch, das Ende zu erleben.*[129]

NOT UND ALTER

Die Bombenangriffe auf die Reichshauptstadt wurden seit Ende 1942 häufiger. Sohn Erwin Planck riet dringend zur Evakuierung. Planck brachte aber eine Trennung von Berlin nicht über sich, von der Stadt, in der er nun schon über fünfzig Jahre gewirkt hatte und mit deren Geistesleben er über tausendfache Bindungen verknüpft war. Nach einem erneuten Angriff am 1. März 1943 ging er auf Einladung des Industriellen Carl Still nach Rogätz an der Elbe: *Ich bin hier mit meiner Frau, da unser Haus wegen Dach-, Fenster- und Türschäden einstweilen unbewohnbar ist, auf dem Gute des mir befreundeten Dr. Still (Recklinghausen) wunderbar untergebracht und warte zunächst, bis ich wieder in Berlin wohnen kann . . . Man muß Gott danken, wenn man noch am Leben und gesund ist.*[130]

Das Haus in der Wangenheimstraße wurde durch den Einsatz einer aus dem Kaiser-Wilhelm-Institut für Physik von Heisenberg gesandten Mannschaft und *dank der tatkräftigen Hilfe meines Sohnes und meiner Schwiegertochter wieder leidlich instand gesetzt.* Mieter zogen ein, obdachlos gewordene Bombengeschädigte. Planck kam nur kurz nach Berlin und fuhr dann in das idyllisch in einem Seitental des Mains gelegene Amorbach, wo die große Orgel in der Stiftskirche ihn schon bei früheren Besuchen begeistert hatte. Hier in Amorbach feierte er seinen 85. Geburtstag: *Auch von der Akademie bekam ich ein Glückwunschschreiben, unterzeichnet von dem jetzigen stellvertretenden Präsidenten, Hrn. Grapow, das mir durch die sachliche Gediegenheit und die Wärme des Tons so auffiel, daß ich den leisen Verdacht nicht los wurde, Ihre Stimme zu vernehmen,* schrieb er an Laue: *Uns geht es hier ausgezeichnet. Das einzig Mühselige ist die Abfassung der Antworten auf die ungezählten hier eingetroffenen Glückwünsche, diesmal sogar auch vom Führer.*[131]

Trotz der Gratulation des «Führers» stand das Dritte Reich Planck weiterhin in Feindschaft gegenüber. Als die Stadt Frankfurt Max Planck, «der größten wissenschaftlichen Persönlichkeit, die wir in Deutschland haben», den Goethe-Preis des Jahres 1943 verleihen wollte, erhob das «Reichsministerium für Volksaufklärung und Propaganda» Einspruch. Es teilte mit, «daß im Einvernehmen mit der Reichsleitung der NSDAP Bedenken gegen eine Auszeichnung von Prof. Planck . . . bestehen, da Planck sich bis in die letzte Zeit hinein für den Juden Albert Einstein eingesetzt hat. Reichsminister Dr. Goebbels hat angesichts dieses Sachverhaltes seine Zustimmung zur Preisverleihung nicht gegeben.»[132] Auch im folgenden Jahr scheiterten die Bemühungen der Stadt, die Genehmigung für die Preisverleihung zu erwirken. So erhielt Planck erst nach dem Umsturz, am 28. August 1945, den Frankfurter Goethe-Preis.

Im Juni 1943 war das Haus in der Wangenheimstraße *auf das notdürftigste wiederhergestellt, und wir können wenigstens wieder hier wohnen, müssen freilich jede Nacht auf eine neue Katastrophe gefaßt sein.* Die Pflicht hielt Planck in Berlin. Nach wie vor besuchte er die Sitzungen der Akademie und der Fakultät. An der Universität Berlin bestand der alte Brauch, daß die sechzehn ältesten Fakultätsmitglieder, die «sedecim», zu allen Sitzungen geladen werden, und dieses Recht hatte Planck immer

Sohn Erwin, der «nächste und beste Freund»

gern in Anspruch genommen.

Erst zur Ferienzeit verließ Planck die Stadt. Nach den gewohnten beiden Wochen im Grundnerhof am Tegernsee ging es Mitte August wieder nach St. Jakob in Kärnten: *Einstweilen sind wir hier, in 1400 m Höhe, gut aufge-hoben und genießen bei herrlichem Wetter einige Wochen der Ruhe, bei vorzüglicher Verpflegung (ausgenommen Zucker und Marmelade) und äußerst zuvorkommender Behandlung, ohne Belastung mit Luftschutz-maßnahmen, Verdunkelung usw. Aber die Weltereignisse lassen uns doch nicht zum inneren Frieden kommen; ich fühle mich noch durchaus nicht erholt, im Gegenteil recht abgespannt. Die Ungewißheit ist gar so drük-*

kend. Zur ernsten Lektüre fehlt mir die innere Sammlung.[133]

Von St. Jakob aus hat der Fünfundachtzigjährige noch einige Dreitausender bestiegen. Als er von der Barmer Hütte zu einer großen Bergtour aufbrach, der letzten seines Lebens, weigerte sich der Bergführer, einen so alten Mann mitzunehmen. Da ging Max Planck mit seiner Frau allein los. Der Bergführer, der dann doch folgte, gestand später, selten jemand begleitet zu haben, der so gut und sicher gestiegen sei.

An Max von Laue gab er regelmäßig Nachricht. Am 9. September 1943: *Hier steht das herrliche Herbstwetter in seltsamem Konstrast zu den grauenvollen Stürmen, die die Menschen sich gegenseitig bereiten. In 8 Tagen verlassen wir St. Jakob, meine Anschrift ist am sichersten die Berliner.*

Am 16. September: *Wir werden vorläufig Berlin noch meiden, mein Sohn unterrichtet mich regelmäßig von der augenblicklichen Lage. Hier haben wir es nach wie vor in jeder Beziehung angenehm, auch das Wetter hat gut ausgehalten und ist immer noch warm. Nur die Postverbindung ist äußerst mangelhaft. Deshalb bin ich froh, wieder an einen Ort mit Eisenbahn zu kommen.*

Und am 23. September, diesmal aus Oberdrauburg (Kärnten): *Bis Anfang Oktober bleiben wir jedenfalls noch hier, wo wir uns ganz wohl befinden, wenn auch der Herbst mit zunehmender Kälte und Dunkelheit sich allmählich weniger behaglich zu gestalten beginnt. Dann wollen wir, nach einem kurzen Besuch in Völkermarkt, nach München zu meiner Schwiegermutter, um dann anschließend eine Vortragsreise zu machen, nach Koblenz, Frankfurt und Kassel, falls nichts dazwischen kommt.*

Die Reise stand unter einem Unstern: *Meine Vortragsreise verläuft nicht ganz programmgemäß. In Frankfurt wurde mir abgesagt, weil die Stadt durch den letzten Fliegerangriff zu sehr gelitten hat. Hier* (in Koblenz) *wurde mein gestriger Vortrag noch vor dem Schluß durch einen Alarm unterbrochen und dadurch um den größten Teil seiner Wirkung gebracht. Ich werde wirklich froh sein, wenn ich glücklich in Rogätz bin. Hier ist fast jeden Tag Fliegeralarm.*

Auf der Rückreise kam Planck nach Kassel. *Am 22. Oktober, nachdem ich in Kassel meinen seit Monaten vereinbarten Vortrag gehalten hatte, brach kurz darauf am Abend der Höllenspektakel los, der in der folgenden Nacht fast die ganze Stadt in Trümmer legte. Auch das Haus, in welchem ich mit meiner Frau bei Verwandten einquartiert war, brannte bis auf den Grund nieder. Wir saßen währenddem die ganze Nacht durch im Luftschutzkeller und können von Glück sagen, daß dieser den Flammen Stand hielt und wir schließlich morgens um 4 Uhr durch ein Loch in der Wand (der normale Ausgang war verschüttet) ins Freie gelangen konnten. Wir fanden menschenfreundliche Aufnahme bei einem Generalarzt, bei dem wir auch den folgenden Tag verbrachten, freilich ohne Wasser, ohne Gas, ohne Strom, so daß man sich nicht einmal richtig waschen konnte. So etwas muß man erlebt haben, um es richtig zu verstehen. Endlich am 24. gelang es uns, der Hölle zu entkommen und zunächst nach Göttingen, dann hierher* (nach Rogätz) *in unser vorläufiges Asyl zu fahren. Von Habseligkeiten haben wir allerdings manches eingebüßt, so z. B. meine ganze Korrespondenz und verschiedene wertvolle Papiere. Aber was will das*

sagen gegen die Verluste, die viele andere Menschen erlitten haben, die
nichts als das nackte Leben ihr eigen nennen. Wann wird dieser Wahnsinn
ein Ende nehmen? [134]

Schon einen Monat später erlebte Frau Marga Planck, die von Rogätz
allein nach Berlin gefahren war, wieder eine Bombennacht: *Meine Frau ist*
zufällig gerade am 22. und 23. November 1943 *in den Angriff hineingera-*
ten, da sie auf einige Tage nach Berlin gefahren war, um einiges Geschäftli-
che zu erledigen, und hat mir schreckliche Dinge erzählt. Unser Haus steht
noch, auch das Mobiliar ist unbeschädigt, aber Dach, Fenster und Türen
haben arg gelitten. Was wird alles noch kommen? Man kann nichts tun als
warten. [135]

Planck war dankbar, auf dem Gutshof an der Elbe einen relativ sicheren
Unterschlupf gefunden zu haben: *Meine Zeit ist vollständig ausgefüllt mit*
Schreiben, Lesen, Spazierengehen und allerhand Arbeiten. Weyls schönes
Buch «Raum, Zeit und Materie» macht mir viel Freude. Die Radiomusik
als Ersatzmittel lerne ich immer mehr schätzen, aber nur unter der Bedin-
gung, daß ich ganz allein bin, denn jedes gesprochene Wort lenkt von der
Stimmung ab. Das Unangenehme dabei sind die scheinbar ganz unver-
meidlichen Nebengeräusche, die manchmal mich so zur Verzweiflung
treiben, daß ich abdrehen muß. [136] Auch hier gab es oft Fliegeralarm, und
am Himmel sah Planck gelegentlich die Flugzeuge auf ihrem Wege nach
Berlin: *Sie fliegen immer hier durch, heute sogar in zahlreichen Staffeln,*
es dauerte $2^1/_2$ *Stunden.*

Bei dem Angriff auf Kassel hatte Planck nur einen kleinen, aber den
wertvollsten Teil seines Briefwechsels eingebüßt. Noch lagen im Berliner
Haus der größte Teil der Korrespondenz und die Bibliothek. Auf eigene
Faust hatte Max von Laue schon mit dem Abtransport der Bücher aus der
Wangenheimstraße begonnen, als in der Nacht vom 15. auf 16. Februar
1944 ein schwerer Bombenangriff auf die westlichen Bezirke von Berlin
niederging. «Ich sah in der unvergeßlichen Nacht», schrieb Laue später,
«Otto Hahns Kaiser-Wilhelm-Institut für Chemie brennen. Schauerlich
schön schlug aus dem Dachstuhl und der gesprengten Südwand des monu-
mentalen Gebäudes ein Flammenmeer heraus.» Diesem Angriff fiel auch
Plancks Heim zum Opfer: *Gestern empfing ich ein Telegramm meines*
Sohnes mit der Nachricht, daß mein Haus in der Wangenheimstraße am
15. d. M. bei dem Fliegerangriff auf Berlin total zerstört worden ist und daß
nichts Wesentliches gerettet werden konnte. So ist Ihre Vorsorge für die
Bergung der Bücher schnell gerechtfertigt worden. Schade, daß ich nicht
beizeiten noch mehr in Sicherheit gebracht habe. Aber das ist nun nicht
mehr zu ändern. [137]

Die Vernichtung der Korrespondenz und der regelmäßig geführten
Tagebücher sind für die Wissenschaftsgeschichte ein schmerzlicher Ver-
lust. Wichtige Einblicke in die Entwicklung der modernen Physik sind der
Nachwelt für immer verschlossen.

Von Tag zu Tag verschlechterte sich die Kriegslage. Im Osten wurde die
Front überall zurückgenommen; die Ukraine ging verloren, und die
sowjetischen Truppen erreichten im Februar und März 1944 die alte West-
grenze der UdSSR. Briten und Amerikaner standen vor Rom, und im

Mit der Nichte Luise Graßmann, geb. Planck

Westen erwartete man die Invasion: *Selbst hier ist man fortwährend von den Alarmen, Tag und Nacht, in Anspruch genommen, und wenn auch nichts Ernstliches passiert, so redet man doch fortwährend von der Lage der Feindformationen und der mehr oder minder großen Wahrscheinlichkeit ihres Näherkommens, und das bedeutet im Grunde einen starken und dabei überflüssigen Nerven- und Kräfteverbrauch. Ich mache ihn möglichst wenig mit, sondern gehe abends ruhig ins Bett.*[138]

Der langdauernde Winter machte dem jetzt Sechsundachtzigjährigen zu schaffen. Schmerzen im Rücken und in den Schenkeln stellten sich ein.

Die eintönige Landschaft deprimierte Planck, und er sehnte sich nach einer anderen Umgebung. Mitte April 1944 fuhr er wieder nach Amorbach in Mainfranken: «Wir sind mit großer Mühe und Not hierhergelangt, da sich die Schmerzen meines Mannes dauernd steigerten. Der Rücken ist ganz gut, aber die im Oberschenkel sind infam. Bis Erfurt zweimal umsteigen, dort übernachten, von dort bis hierher viermal umsteigen. Gepäck tragen, Treppen rauf und runter, Platz erobern und meinen Mann kaum von der Stelle zu bringen (Alarm!). Aber schließlich hat's doch geklappt, und unser erster Gang war zu dem guten Arzt, den wir vom vorigen Jahr her, wo mein Mann so furchtbar stürzte, gut kennen. Und dieser hat einen Leistenbruch festgestellt. Daher also die furchtbaren Schmerzen . . . Der Arzt möchte aber lieber nicht operieren, er fürchtet die Verantwortung bei dem hohen Alter.»[139]

Die Schmerzen steigerten sich zur Unerträglichkeit. Tag um Tag brachte neue Pein. In ihrer Verzweiflung wandte sich Marga Planck an Sauerbruch; der berühmte Chirurg kam in großer Generalarzt-Uniform, begleitet von einem Oberarzt, mit dem Wagen von Berlin. «Heute kann ich Ihnen mitteilen, daß die Operation gestern gut verlaufen ist . . . Die Herren waren in Sorge, weil eine beginnende Herzschwäche mit Ödemen vorhanden ist, aber das Herz hat gut ausgehalten. Wenn keine Komplikationen kommen, wird dieses schnell heilen. Mehr Sorge macht uns eben diese Herzschwäche und eine Arthrosis (nicht Arthritis) im Rücken, d. h. eine Verknöcherung der Wirbelsäule, die ihm in den letzten Wochen so scheußliche Beschwerden und ihn so unbeweglich machten . . . Er selbst ist guten Mutes und ein geduldiger Patient . . .»[140]

Sauerbruch ließ seinen Oberarzt einige Tage in Amorbach. Eine Bluttransfusion, für die sich Erwin Planck zur Verfügung stellte, war hilfreich. Am 31. Mai berichtete Frau Marga: «Er steht jetzt zweimal am Tag 1½ bis 2 Stunden auf», und am 3. Juni: «Mein Mann war heute vor- und nachmittag sechs Stunden auf.»

In diesem Monat stand wieder ein goldenes Jubiläum bevor: Am 11. Juni 1894 war Planck als ordentliches Mitglied in die Preußische Akademie aufgenommen worden und hatte am 28. Juni seine Antrittsrede gehalten. Die Akademie plante, das fünfzigjährige Jubiläum ihres berühmtesten Mitgliedes und langjährigen Sekretars auf dem Leibniz-Tag Anfang Juli zu feiern. Nun war die Krankheit dazwischengekommen. Auf eine zweifelnde Anfrage Laues schrieb Marga Planck: «Ich glaube auch nicht recht, daß mein Mann an der Leibniz-Sitzung teilnehmen kann. Er hat es sich mal in den Kopf gesetzt, und ich lasse ihn natürlich dabei, bis er von selbst einsieht, daß es nicht geht oder daß es unvernünftig wäre. Ich glaube auch, daß es des Herzens wegen, wenn man ihm die Reise erleichtert, ginge; aber der steife Rücken ist eine große Schwierigkeit . . . Er geht jetzt viel im Zimmer auf und ab, doch wechseln die Tage, mal ist er recht unternehmend, dann wieder recht müde . . . Immerhin ist seiner eisernen Energie allerhand zuzutrauen.»[141]

Planck fuhr nach Berlin. Werner Heisenberg, der Direktor des Kaiser-Wilhelm-Institutes für Physik, erzählte: «Wir Jüngeren hatten große Sorge, ob es verantwortet werden könnte, den nun schon 86jährigen in die

Hauptstadt einzuladen. Aber Planck, der ja immer ein starkes Pflichtgefühl besaß und der vielleicht auch den Gedanken hatte, daß er nun Berlin zum letzten Mal sehen würde, folgte der Einladung. Ich weiß noch, daß wir damals lange darüber berieten, was wir tun sollten, wenn eben in dieser Zeit ein schwerer Angriff auf Berlin niederginge. Die äußeren Umstände waren dann fast gespenstisch. Die Nacht vor der Feier verlief glimpflich, es fielen nur einige wenige Bomben. Planck hatte im Hotel Adlon übernachtet, und ich sollte ihn am nächsten Morgen mit dem mir noch verbliebenen Dienstwagen abholen. – Bei der Feier sollte ich die Ansprache halten. Ich fand Planck wohlausgeruht und eigentlich froh, Berlin noch einmal zu sehen und insbesondere seine alten Freunde wieder zu treffen. Besonders glücklich war er darüber, daß er seinen Sohn Erwin in Berlin fand, der nun bei der Feier neben ihm sitzen würde. So fuhren wir mit dem Wagen durch die Trümmerfelder des Berliner Zentrums. Weder Planck noch mir gelang es, die Straßen wiederzuerkennen. Wir mußten uns durchfragen. Die Feier sollte in einem erhalten gebliebenen Festsaal des Preußischen Finanzministeriums stattfinden. Als ich schließlich in die betreffende Straße gewiesen wurde, endeten wir mit unserem Wagen vor einem riesigen Schutthaufen mit verbogenen Eisenstangen und Betonklötzen, die im Weg lagen, und ich dachte, ich müßte falsch gefahren sein. Auf mein Fragen erhielt ich aber die Weisung, man müsse um diesen Schutthaufen etwas herumgehen, dann gäbe es eine Tür, die noch halb offen stünde; durch die müsse man hindurch, und dann käme man zwischen Schutt und Eisenstangen schließlich in den Festsaal. Auf diesem Weg ist also Planck in den Festsaal gekommen. In dem Moment, als er den Festsaal betrat, war plötzlich alles wieder wie 40 Jahre vorher. Es herrschte sofort allgemeine Stille, jeder begrüßte Planck mit Verehrung, und man merkte so deutlich, wieviel Liebe diesem Mann entgegenströmte, und man konnte auch fühlen, daß er selbst glücklich war, noch einmal die bekannten Gesichter zu sehen. Das Streichquartett fing an zu spielen, und für eine Stunde oder zwei war man in die Zeit des alten, kultivierten Berlins versetzt, in dem Planck, wie selbstverständlich, die führende Persönlichkeit war, und in dem noch einmal die ganze Kultur der früheren Zeit gegenwärtig schien.»[142]

Drei Wochen später kam es zum Attentat gegen Hitler, der aber nur leicht verletzt wurde; seine nach Berlin gegebenen Befehle durchkreuzten die bereits angelaufenen Maßnahmen der Verschwörer. Nach wenigen Stunden besaß der Diktator wieder die unumschränkte Macht. Seine Rache kannte keine Grenzen: *Seit dem 20. 7. herrscht in der Staatsführung eine erheblich schärfere Tonart. So ist auch gegen meinen Sohn Erwin . . . eine Untersuchung eingeleitet worden, deren einzige Grundlage die ist, daß er mit einigen der Attentäter bekannt war. Mein Trost ist, daß eine ganze Anzahl anderer Persönlichkeiten von dem gleichen Schicksal betroffen worden sind, so z. B. der preußische Finanzminister Prof. Popitz. Man kann doch auf dieser Grundlage unmöglich ein vernünftiges Urteil aufbauen.*[143]

«Am 23. Juli wurde Erwin verhaftet . . . Es genügte, daß er zum früheren [Weimarer] Regime gehört hat und 1933 mit Schleicher zusammen

abging. Vielleicht stand er auch auf einer Liste der zu bildenden neuen
Regierung, aber das wissen wir nicht. Jedenfalls hatte er sich ganz von der
Politik zurückgezogen, sich bewußt ferngehalten. Das Revolutionieren
liegt ihm überhaupt nicht.»[144]

Monatelang wurde Planck zwischen Hoffnung und Verzweiflung hin-
und hergerissen. Die schlimmsten Befürchtungen wurden am 23. Oktober
1944 bestätigt: *Er ist vom Volksgerichtshof zum Tode verurteilt worden.
Ich setze im Verein mit seiner klugen Frau . . . Himmel und Hölle in Bewegung, um wenigstens eine Umwandlung in eine Freiheitsstrafe zu erwirken.*[145] Ob Planck die Formulierung «Himmel und Hölle» bewußt gewählt
hat? Es kam ja jetzt darauf an, einflußreiche Männer für die Begnadigung
zu gewinnen – und das mußten notgedrungen die nationalsozialistischen

Erwin Planck vor dem Volksgerichtshof

Machthaber sein. Die Sorge um den Sohn trieb Planck nach Berlin. Es war eine strapaziöse und lebensgefährliche Unternehmung geworden, aus dem nur 150 Kilometer entfernten Rogätz in die Hauptstadt zu kommen.

Max Born hat in seiner Planck-Biographie in «Die großen Deutschen» mitgeteilt, daß man Planck nahegelegt habe, durch eine Loyalitätserklärung für das Dritte Reich einen Rettungsversuch zu machen. Planck habe das mit seinem Gewissen nicht vereinbaren können. Dieser Bericht entspricht nicht den Tatsachen. Planck hat in seiner Not zwar keine Loyalitätserklärung, wohl aber ein Gnadengesuch direkt an den «Obersten Gerichtsherrn» gerichtet. Auch an Heinrich Himmler, den Reichsführer SS, sandte er einen Brief, *in dem ich aufgrund meiner innigen Verbundenheit mit meinem Sohn und dessen Gesinnung die Erklärung abgab, daß er mit den Geschehnissen des 20. Juli nichts zu tun hat*[146].

Den Aufenthalt benutzte Planck, um in der Charité Ernst Ferdinand Sauerbruch aufzusuchen. Nach der ärztlichen Behandlung entschloß sich

Sauerbruch spontan, Planck an seiner Stelle die Hauptvorlesung für Mediziner halten zu lassen, um den Gelehrten auf andere Gedanken zu bringen. Sogar für einige Lorbeerbäume in grünen Holzkübeln hatte Sauerbruch gesorgt. Hörer der damaligen Veranstaltung in der Charité berichteten: «Sauerbruch kam mit Max Planck, den er am linken Arm im Gehen unterstützte und vor dem Auditorium als den ‹Nestor der deutschen physikalischen Wissenschaft› . . . begrüßte. Es hatte sich ein ungewöhnlich starkes Beifallsgetrampel und -klopfen schon erhoben, als die beiden Professoren den Saal betraten; den Altersunterschied verstärkte Sauerbruch noch durch seine betont forsche und vitalität-ausstrahlende Haltung, während Max Planck in sehr konventionellem dunklen Anzug schleppend und etwas gebückt am Stock ging. Nun trat er ans Rednerpult und begann mit recht leiser Stimme sogleich seinen Vortrag mit den Worten ‹Meine Damen und Herren, erlauben Sie mir, zu Ihnen zu sprechen über Sinn und Grenzen der exakten Wissenschaft . . .› Etwa 40 Minuten lang sprach er dann – aufrecht stehend, obwohl von Sauerbruch wiederholt gebeten, vom bereitgestellten Sessel Gebrauch zu machen; vor ihm lag ein Manuskript, das er jedoch kaum benutzte. Allein die physische Leistung dieses Vortrages sicherte ihm schon unsere Bewunderung. Die leise Stimme des Gelehrten klang vielleicht gerade deshalb besonders eindringlich in uns wider. Nie zuvor hatten wir in diesem Hörsaal . . . solch ehrfurchtsvolle Stille empfunden.»[147]

Einige Wochen später berichtete Frau Marga Planck: «Ich war am 18. [Januar] zur Festsitzung der Physikalischen Gesellschaft in Berlin gewesen. An diesem Tage erhielt Nelly Mitteilung, daß alles gut stehe und die Begnadigung in kürzester Zeit zu erwarten sei. Freudestrahlend brachte ich diese Nachricht meinem Mann.»[148]

Zehn Tage später erschien Nelly überraschend in Rogätz. «Sie hatte die größten Schwierigkeiten herzukommen, da sie keine Reisebewilligung erhielt. Dann gelang es ihr, durch die freundschaftliche Hilfe eines neutralen Staates, in einem Wagen.» Erwin Planck war tot. «Es geschah plötzlich und ganz heimlich. Unsere Schwiegertochter erfuhr es nur durch Zufall. Was sie, auch nur hinten herum, noch hörte, war bitter wenig. Erwin habe es erst kurz vorher gewußt, sei vollständig ruhig und gefaßt gewesen . . . Zu zehnt seien sie abtransportiert, nicht erschossen, sondern ––– worden. Kein Gruß, keine Sachen von ihm. Noch heute hat sie keine offizielle Mitteilung . . . Mein armer Mann ist schwer getroffen. Erwin war immer sein Liebling gewesen, sein Stolz, jetzt im Alter seine Stütze; er war unser aller bester Freund; in dieser entsetzlichen Zeit ein Halt in seiner Furchtlosigkeit, seiner Wärme und Behagen ausstrahlenden Persönlichkeit, seiner Hilfsbereitschaft.»[149]

Planck setzte sich ans Klavier und spielte selbstvergessen, in sich lauschend, die Lieblingsmelodien seines Sohnes. *Mein Schmerz ist nicht mit Worten auszudrücken . . .*[150] *Ich ringe täglich aufs Neue, um die Kraft zu gewinnen, mich mit dieser Schicksalsfügung abzufinden. Denn mit jedem neu anbrechenden Morgen kommt es wie ein neuer Schlag über mich, der mich lähmt und mir das klare Bewußtsein trübt, und es wird lange dauern, bis ich wieder völlig ins seelische Gleichgewicht komme. Denn er bildete*

113

einen wertvollen Teil meines eigenen Lebens. Er war mein Sonnenschein, mein Stolz, meine Hoffnung. Was ich mit ihm verloren habe, können keine Worte schildern.[151]

Sie trauen mir viel zu, wenn Sie die Meinung aussprechen, daß ich in mir die Kraft besitze, dem Schmerz nicht zu erliegen, schrieb er auf einen Trost zusprechenden Brief: *Ich bemühe mich ernstlich, sie aufzubringen. Dabei kommt mir der Umstand zu Hilfe, daß ich als eine Gnade des Himmels betrachte, daß mir von Kindheit an der feste durch nichts beirrbare Glaube an den Allmächtigen und Allgütigen tief im Innern wurzelt. Freilich sind seine Wege nicht unsere Wege; aber das Vertrauen auf ihn hilft uns durch die schwersten Prüfungen hindurch.*[152]

An den Fronten gab es für die Alliierten kein Halten mehr; am 7. März fiel Köln, und am gleichen Tag gingen die Amerikaner bei Remagen über den Rhein. Die Russen standen an der Oder: «Wir denken nicht daran, von hier fortzugehen, wenn es nicht sein muß. Aber dieses Muß könnte wohl mal kommen. Wenn hier Kriegsgebiet wird ... dann muß das Haus geräumt werden. Es liegt ja so exponiert auf dem Steilufer der Elbe, weithin sichtbar ... Es wird schon mächtig an der Elbe und an dem Nebenfluß, der Ohre, geschanzt, auch bei uns oben im Garten und Park. Die Frage ist, ob und wie man dann im letzten Moment wegkommt.»[153]

Rasch drangen die amerikanischen Panzerspitzen über Hameln und Braunschweig nach Magdeburg vor. «Wir haben in Rogätz furchtbare Wochen erlebt», berichtete Marga Planck weiter: «Es wurde Kampfgebiet ... Wir mußten raus in den Wald, übernachten in Heustadeln, waren tagelang ohne warmes Essen, sogar teilweise ohne Wasser, tagsüber im Wald bei ständigem Artilleriebeschuß, es gab Tote und Verwundete, es pfiff scheußlich Tag und Nacht.»[154]

Inzwischen hatten die Amerikaner am 11. April bei Rogätz die Elbe erreicht, gingen aber nicht über den Fluß. Es war also nun plötzlich wichtig geworden, wie Laue schon vor Monaten prophezeit hatte, daß Rogätz auf der linken, nicht der rechten Elbseite lag. Am 25. April trafen bei Torgau, etwa 120 Kilometer weiter südlich, amerikanische und sowjetische Truppen zusammen. Fast zur gleichen Zeit war Berlin eingeschlossen. Am 30. April beging Hitler Selbstmord; wenige Tage später war der Wahnsinn zu Ende.

Schwere Tage standen Planck bevor. «Es kam die Evakuierung des ganzen Dorfes, wir treckten und verbrachten zehn Tage in einem einsamen Walddorf. Mein armer Mann, dessen Arthrose der Wirbelsäule sehr zugenommen hat, schrie oft vor Schmerzen, man konnte ihn kaum anfassen; diese Transporte waren ein Martyrium, und niemand konnte uns helfen. Wir hatten kurz vorher noch Versuche gemacht, nach Göttingen zu kommen, weil wir schon Schlimmes für Rogätz ahnten, aber der Vormarsch ging zu schnell und es gelang nicht mehr. Als wir wieder ... zurückdurften, konnten wir nicht mehr ins Gutshaus ... Es war in einem solchen Zustand, wie ich es nicht für möglich gehalten hätte, in geradezu viehischer Weise beschmutzt und kaputtgetrampelt. So haben wir auf diese Weise den Rest unserer Sachen auch noch verloren. Wir lebten dann einige Zeit äußerst primitiv in einem kleinen Raum mit der Melkerfamilie, in dem sich

Rogätz über Wolmirstedt
Bez. Magdeburg.

4. 2. 45.

Lieber Herr Kollege!

Da ich weiß, daß Sie auch an dem, was mich persönlich betrifft, Anteil nehmen, muß ich Ihnen davon Mitteilung machen, daß mein älterer Sohn Erwin unmittelbar nach den Geschehnissen des 20. Juli v. J. lediglich auf Grund der Tatsache, daß einige der Attentäter zu seinem Bekanntenkreis gehörten, verhaftet und vom Volksgerichtshof zum Tode verurteilt wurde. Das Urteil ist, wie ich nur auf indirektem Wege erfahren habe, am 23. v. M. vollstreckt worden, und ich damit meines nächsten und besten Freundes beraubt. Mein Schmerz ist nicht mit Worten auszudrücken. Ich ringe nur um die Kraft, mein zukünftiges Leben durch gewissenhafte Arbeit sinnvoll zu gestalten.

Ihnen und den Ihrigen alles gute wünschend
mit herzlichem Gruß
Ihr ergebener
M. Planck

An Arnold Sommerfeld

das ganze Leben mit Kindern und Säugling abspielte.»[155]

Inzwischen sorgte sich um das Ergehen Plancks der alte Freund Robert Pohl in Göttingen: «Daher habe ich den Astronomen Gerard P. Kuiper, der zur amerikanischen Besatzungsmacht gehörte, gebeten, Plancks, wenn es ihm irgend möglich sei, mit seinem Auto nach Göttingen zu holen. Das Ehepaar könne hier bei seiner... Nichte Unterkommen finden.» Verschwitzt, aber über das ganze Gesicht strahlend, tauchte Kuiper mit seinem Jeep am 16. Mai, spät am Abend, bei Hildegard Seidel in der Merkelstraße 12 auf: «Wir haben Ihnen Herrn Geheimrat Planck mitgebracht; er ist draußen im Auto.» Das Tagebuch Hildegard Seidels vermerkt «Herzliche Begrüßung und Freude. Plancks schlafen bei uns.»

Kuiper fuhr, um die Erfolgsmeldung zu überbringen, weiter zu Pohl: «Ich hielt Kuiper fest, holte meine beste Flasche Rheinwein aus ihrem Versteck, um ihm herzlich zu danken und noch lange mit ihm zu sprechen. — Am nächsten Tag erfolgreiche Bemühungen um Lebensmittelkarten, Zigarren usw.»[156]

So kam er nach Göttingen, in die Stadt der Planckschen Vorväter. Hier hatten Anfang des 19. Jahrhunderts Gottlieb Jakob Planck und Heinrich Ludwig Planck, der Urgroßvater und der Großvater, als Theologieprofessoren gewirkt. Er fand liebevolle Aufnahme bei seiner Nichte, die in ihrer Wohnung zwei möblierte Zimmer abtrat: «Wir sind seit 14 Tagen nach mehrfacher Umquartierung endlich hier bei unseren Verwandten zur Ruhe gekommen; es war Zeit, denn meinem Mann fällt jede Umstellung sehr schwer. Nach fünf Wochen Krankenhaus und Novokain-Injektionen sind die Schmerzen doch erheblich besser geworden. Aber im großen und ganzen ist es doch kein schöner Zustand: er geht nur sehr mühsam und ist oft so schrecklich müde. Sie würden sich wundern zu sehen, was in einem Jahr aus ihm geworden ist. Denn auch in geistiger Beziehung hat er sehr nachgelassen, das Gedächtnis versagt, und wenn er müde ist, fällt es ihm schwer, sich zu konzentrieren; jeder Brief bedeutet ihm eine große Mühe; dazwischen scheint er ganz der alte zu sein. Jedenfalls ist es gut, daß wir hier sind, im Hause ist es reizend, und die Kollegen sind rührend.»[157]

Die alte, nur wenig zerstörte Universitätsstadt Göttingen war eine Zuflucht für viele Gelehrte. Hier hatten sie die vertraute, für immer entschwunden geglaubte akademische Atmosphäre — oder wenigstens einen Abglanz von ihr — wiedergefunden. Drückend blieben die katastrophale Wohnungsnot und die mangelhafte Ernährung. Die Unsicherheit ihrer Existenz kam den Flüchtlings-Professoren Mitte August erschreckend zu Bewußtsein; durch eine Verfügung der britischen Militärregierung wurden plötzlich die Gehaltszahlungen eingestellt: *Ich empfing heute vom Universitätskuratorium die Mitteilung, daß die mir als entpflichteter Universitätsprofessor zustehenden und bis zum Juni auch regelmäßig ausgezahlten Pensionsbezüge von nun an vollständig gesperrt sind und daß von dieser Maßregel alle in der letzten Zeit von auswärts nach Göttingen übergesiedelten Professoren betroffen werden. Das setzt mich in große Verlegenheit.*[158]

Innerhalb kurzer Zeit gelang es Adolf Grimme, an den sich Planck um Hilfe gewandt hatte, «Remedur zu schaffen». Auch später hielt der nieder-

Zusammentreffen der amerikanischen und sowjetischen Truppen bei Torgau

sächsische Kultusminister seine Hand über den greisen Gelehrten. So empfahl er am 18. Oktober 1945 dem Göttinger Oberbürgermeister, Planck durch eine Sonderzuteilung von Kohlen zu unterstützen: «Ich finde, es wäre eine wunderschöne Geste der Stadt Göttingen diesem weltberühmten deutschen Gelehrten gegenüber, wenn man ihm helfen würde, über diesen Winter gesundheitlich hinwegzukommen.»

Planck war nun im 88. Lebensjahr. Durch die Arthrose war der Körper zusammengeschrumpft; aus dem sportlichen Bergsteiger und Turner war eine gebeugte Greisengestalt geworden. Nur mühsam konnte er sich am Stock vorwärtsbewegen. Er, der ein kultiviertes Haus geführt hatte, wohnte nun möbliert. Alles Hab und Gut hatte er verloren. Alle vier Kinder aus der ersten Ehe waren tot. *Die Welt hat sich seit acht Jahren grausam verändert. An die Stelle ruhiger Arbeit und behaglicher Lebensführung ist wilde Aufregung und tiefes Leid getreten. Die einzige Rettung aus diesem Elend ist die Flucht in eine höhere geistige Welt, die von derjenigen, in der wir zu leben gezwungen sind, nicht berührt wird . . .*[159]

Die Rettung aus der Verzweiflung war für Planck immer die treue Erfüllung der vielfältigen Aufgaben gewesen. Dieser Ausweg war dem Achtundachtzigjährigen verwehrt; eine große Arbeit konnte er – trotz seines schier unbeugsamen Willens – nicht mehr vollbringen. So unglaublich es scheinen mag: Planck ist noch einmal ein epochemachender Erfolg geglückt, diesmal freilich hauptsächlich durch seinen legendär geworde-

117

Kaiser-Wilhelm-Gesellschaft zur Förderung der Wissenschaften e. V.
Generalverwaltung

Bank-Konto: Reichs-Kredit-Ges. A. G.
Postscheck-Konto: Berlin 169310

Göttingen, ~~Berlin~~, den 30. Juli 1945,
~~Schloß-Portal in~~ Herzberger Landstraß~~e~~
~~Fernsprecher: 14-69-21 —~~ 24 pt.,
~~Telegr.-Adr.: Wirkwissenschaft Berlin~~ Tel. 2569.

Dr. Max Planck.

An

die Herren Direktoren
aller Kaiser-Wilhelm-Institute.

==

Es ist für mich eine besondere Freude, daß Herr Dr. Telschow
durch einen Auftrag der Militär-Regierung die Möglichkeit
hat, die Direktoren aller Kaiser-Wilhelm-Institute in der
westlichen Zone zu besuchen und mir nach seiner Reise zu berichten. Ich hoffe, daß es gelingen wird, die Kaiser-
Wilhelm-Gesellschaft und ihre Institute auch durch diese besonders schwierige Zeit hindurchzuführen.

Mein Bestreben ist es, sie in ihrer Gesamtheit zu erhalten
und damit auch für das einzelne Institut die besten Arbeitsmöglichkeiten zu schaffen, denn gerade in ihrer gemeinschaftlichen Arbeit liegt die Stärke der Kaiser-Wilhelm-Gesellschaft.

Ich bitte, mich in diesem Bestreben zu unterstützen und gegebenenfalls bei Fragen von entscheidender Bedeutung, die örtlich auftreten, dieses Ziel im Auge zu behalten.

Allen Herren wünsche ich persönlich alles Gute und eine erfolgreiche Weiterarbeit für unsere Gesellschaft!

Dr. Max Planck

nen Namen, nicht durch anstrengende eigene Arbeit: Er hat die Kaiser-Wilhelm-Gesellschaft gerettet.

In den letzten Kriegsmonaten hatte Dr. Ernst Telschow die Generalverwaltung nach Göttingen verlegt. Die Bilanz, die Telschow nach dem Zusammenbruch zog, war niederschmetternd. Der Großteil der Gebäude war zerstört, viele Mitglieder tot oder verschollen, die Gehaltszahlungen eingestellt, die Verbindung zu vielen Instituten ganz abgerissen. Der Präsident der Gesellschaft, Generaldirektor Albert Vögler, der seit 1941 als Nachfolger von Carl Bosch amtierte, hatte nach dem Zusammenbruch seinem Leben selbst ein Ende gesetzt. Daß Max Planck, der einzige von den früheren Präsidenten, der noch lebte, nun in Göttingen zur Verfügung stand, am Ort der Generalverwaltung, war der einzige Lichtblick für Telschow: «Er erklärte sich auf meine Bitte sofort bereit, zunächst nach außen hin das Amt des Präsidenten zu übernehmen . . . Dieser Entschluß war entscheidend für den Wiederaufbau der Kaiser-Wilhelm-Gesellschaft, denn seine Autorität gab eine Grundlage für alle weitere Arbeit, die von der Generalverwaltung unternommen wurde.»[160]

Am 25. Juli 1945 schrieb Planck an Otto Hahn, der mit neun deutschen Physikern in England interniert war: *Als früherer Präsident der Kaiser-Wilhelm-Gesellschaft liegt mir ihr weiteres Geschick und ihre Zukunft besonders am Herzen. Ich halte es für unerwünscht, daß der Posten des Präsidenten längere Zeit unbesetzt bleibt und habe Herrn Dr. Telschow gebeten, die Wahl des neuen Präsidenten durch Umfrage bei den Direktoren aller Kaiser-Wilhelm-Institute vorzubereiten. Für diesen Posten werden Sie, wie ich annehme, einstimmig vorgeschlagen werden, und ich halte Sie in besonderem Maße für geeignet, die Gesellschaft auch dem Auslande gegenüber zu vertreten. Sie erlassen es mir, die Gründe, die gerade für Ihre Person sprechen, im einzelnen aufzuführen. Ich bitte Sie, mir möglichst bald mitzuteilen, ob Sie bereit sind, das Amt des Präsidenten zu übernehmen und hoffe, daß es Ihnen schon jetzt möglich ist, sich für die Kaiser-Wilhelm-Gesellschaft einzusetzen. Bis zu Ihrer Rückkehr nach Deutschland bin ich bereit, Sie zu vertreten.*[161]

Anfang August 1945 begab sich Telschow mit einem Brief Plancks auf abenteuerliche Odyssee zu den Instituten:

Es ist für mich eine besondere Freude, daß Herr Dr. Telschow durch einen Auftrag der Militär-Regierung die Möglichkeit hat, die Direktoren aller Kaiser-Wilhelm-Institute in der westlichen Zone zu besuchen und mir nach seiner Reise zu berichten. Ich hoffe, daß es gelingen wird, die Kaiser-Wilhelm-Gesellschaft und ihre Institute auch durch diese besonders schwierige Zeit hindurchzuführen.

Mein Bestreben ist es, sie in ihrer Gesamtheit zu erhalten und damit auch für das einzelne Institut die besten Arbeitsmöglichkeiten zu schaffen, denn gerade in ihrer gemeinschaftlichen Arbeit liegt die Stärke der Kaiser-Wilhelm-Gesellschaft.

Ich bitte, mich in diesem Bestreben zu unterstützen und gegebenenfalls bei Fragen von entscheidender Bedeutung, die örtlich auftreten, dieses Ziel im Auge zu behalten.[162]

Mit Planck besaß die Gesellschaft, die bereits zerbrochen schien, wieder ein anerkanntes Oberhaupt. So schrieb Adolf Butenandt aus Tübingen an Planck: «Der Besuch Dr. Telschows war eine große Freude, vor allem, weil er uns die Nachricht brachte, daß Sie sich erneut bereit fanden, für unsere Kaiser-Wilhelm-Gesellschaft einzutreten und ihre schützende Hand über unsere Institute zu halten. Dafür können wir alle Ihnen nicht genug danken! Es gibt uns die Gewißheit, daß wir einen Weg in die Zukunft finden werden und verpflichtet uns, mehr denn je mit allen Kräften für die Erhaltung und Förderung der Gesellschaft zu wirken. Seien Sie überzeugt, daß der Kreis meiner Mitarbeiter und ich alles tun werden, um auch in schwerster Zeit die Forschung zu fördern, um die deutsche Wissenschaft zu erhalten!»[163]

Mit den Institutsdirektoren meldeten sich auch die einflußreichen Freunde der Gesellschaft aus der Weimarer Zeit, darunter Adolf Grimme und Prälat Georg Schreiber. So scharte sich langsam wieder der alte Kreis um Max Planck.

Mit einer Urenkelin

Hahn, Biermann, Heisenberg und Telschow

DIE MAX-PLANCK-GESELLSCHAFT

Zu Beginn des ersten Friedensjahres wurden die deutschen Kernphysiker aus der Internierung entlassen. Am 12. Januar 1946 kamen Otto Hahn und Werner Heisenberg in Begleitung von Colonel B. K. Blount nach Göttingen. Am folgenden Tag war große Wiedersehensfeier in der Merkelstraße. «Nach Adolf Windaus treffe ich mich», notierte Hahn in sein Tagebuch, «mit Heisenberg bei Familie Planck, der wir unsere Rationen Brot, Corned Beef, etwas Butter, ich außerdem aus England mitgenommenen Tee mitbringen. Die Nichte Plancks, Hilla Seidel, sieht gut aus, auch Planck ist frischer, als ich gefürchtet hatte. Er sagt, ich müsse die Präsidentschaft der KWG unbedingt übernehmen. Wir trinken schnell ein Glas Wein, den er vom Oberbürgermeister von Frankfurt bei dem Goethe-Preis bekommen hat.»

Otto Hahn, Max von Laue und Werner Heisenberg siedelten sich in Göttingen an. «Ich hatte das Glück», schrieb Heisenberg, «für meine Familie ein Haus in unmittelbarer Nachbarschaft der Wohnung Plancks mieten zu können, so daß Planck mich nicht selten vor dem Gartenzaun ansprach und auch gelegentlich abends zur Kammermusik in unser Haus herüberkam.»

Nachdem als erste deutsche Universität die Göttinger Georgia Augusta im September 1945 in allen Fakultäten die Arbeit wiederaufgenommen

Mit Max von Laue

hatte, wurde von der britischen Militärregierung auch die Wiedererrichtung von wissenschaftlichen Instituten genehmigt. Die Aufbauarbeit leisteten nun die Jüngeren. Max Planck wurde «Ehrenpräsident der Kaiser-Wilhelm-Gesellschaft». Otto Hahn schrieb: «Am 1. April meldete ich Planck, den ich in elendem Zustand im Bett liegend antraf, ich hätte ihn nun offiziell in der Präsidentschaft der Kaiser-Wilhelm-Gesellschaft abgelöst. Er war froh, diese Bürde los zu sein.»

Zur Behandlung seiner Arthrose mußte Planck ins Krankenhaus. Nach sechs Wochen, Mitte Mai 1946, wieder entlassen, machte er Reisepläne. Die Londoner Royal Society plante, die wegen des Krieges verschobenen Feiern zum 300. Geburtstag Sir Isaac Newtons Anfang Juli abzuhalten, und hatte dazu als einzigen Deutschen Max Planck, ihr ältestes ausländisches Mitglied, geladen: «Gottlob hat mein Mann jetzt nach der langen Kur im Krankenhaus wenig Schmerzen. Aber er ist sehr schwerfällig, und leider wird auch sein Gedächtnis sehr schlecht. Unter diesen Umständen ist die Reise nach England ein großes Risiko, aber er will es durchaus. Er macht sich die Schwierigkeiten und Strapazen nicht klar, aber mir ist angst und bang, daß er geistig versagt.»[164]

Eine britische Militärmaschine brachte Planck nach London; Frau Marga begleitete ihn wie auf allen Reisen in diesen Jahren. Bei den Feiern wurde er von den ausländischen Kollegen auf das herzlichste und ehrerbietigste begrüßt. Planck galt als Repräsentant des «anderen Deutschland». Man hatte weder seine großen wissenschaftlichen Leistungen noch seine Haltung während des Dritten Reiches vergessen. «Leider bereitete ihm das Sprechen des Englischen eine gewisse Mühe; er war dadurch mehr in die Rolle eines passiven Zuhörers hineingedrängt ... Als der Zeremonienmeister jeweils die Vertreter der verschiedenen Länder unter Aufstoßen eines eigenen Stabes namhaft machte mit der Bezeichnung: Prof. X., Vertreter von Spanien, Prof. Y., Vertreter der Akademie von M., so war er bei Planck in einer gewissen Verlegenheit und wußte sich nur mit den Worten zu helfen: Prof. Planck, Vertreter of ‹No country›.»[165] Was von Ernst Wölfflin, dem Schweizer Arzt, als amüsante Anekdote berichtet wurde, muß Planck tief getroffen haben. Er hatte die Gründung und den Aufstieg des Deutschen Reiches erlebt und dabei – was die Wissenschaft betraf – nach Kräften mitgewirkt. Nun war alles zerstört, Deutschland gab es nicht mehr.

Mit Otto Hahn

In den Verhandlungen mit den Besatzungsbehörden ging es immer wieder um den Neuaufbau der Kaiser-Wilhelm-Gesellschaft. Die Briten erlaubten schließlich in ihrer Zone die Wiedergründung, allerdings mit der Auflage, den Namen des Kaisers nicht mehr zu verwenden, der für sie seit der Jahrhundertwende ein Symbol des deutschen Militarismus gewesen war. Für die deutschen Wissenschaftler dagegen war die Bezeichnung «Kaiser-Wilhelm-Gesellschaft» in erster Linie der Name einer Forschungsorganisation, die Hervorragendes in der Wissenschaft geleistet hatte und auch in den Zeiten der Tyrannis ihren Idealen treu geblieben war.

Konnte es in dieser Zwangslage eine bessere Bezeichnung geben als «Max-Planck-Gesellschaft»? Wie es seinem geraden Wesen entsprach, erteilte Planck mit Freude, aber ohne jede Eitelkeit, dazu die Erlaubnis. Das war der letzte große Dienst, den Max Planck der Gesellschaft leistete, daß er ihr gestattete, seinen Namen zu führen, und sie dadurch auf das Ethos der Wissenschaft verpflichtete.

Am 11. September 1946 wurde in Bad Driburg die «Max-Planck-Gesellschaft zur Förderung der Wissenschaften in der britischen Zone» offiziell gegründet: «Auf Wunsch aller Anwesenden wird protokollarisch festgelegt, daß bei Inkrafttreten der Max-Planck-Gesellschaft Herr Geheimrat Planck zum Ehrenpräsidenten ernannt wird.»

Anfang Dezember 1946 fuhr Otto Hahn zur Entgegennahme des Nobelpreises nach Stockholm. *Ich selber befinde mich leider schon merklich auf dem Abstieg. Doch bin ich hier in Göttingen bei meinen Verwandten unter der Fürsorge meiner Frau auf's denkbar beste aufgehoben.*[166]

Nach der Rückkehr Hahns versammelten sich die Göttinger Nobelpreisträger zur Gratulation, und Max Planck sprach vor den laufenden Filmkameras der Wochenschau die Laudatio. Er blieb in der kurzen Rede stecken und mußte vor Hahn, Heisenberg, Windaus und Laue noch einmal von vorne beginnen.

Auf einer Vortragsreise zog sich Planck im Januar 1947 in der ungeheizten Eisenbahn eine schwere Erkältung zu, und in der Folge entwickelte sich

126

eine doppelseitige Lungenentzündung. Durch eine Penicillin-Behandlung überwand Planck die Infektion ohne weitere Komplikationen: «Ja, es ist wie ein Wunder, daß er diese schwere Attacke überstanden hat und zwar so gut, daß er jetzt frischer ist als vorher. Allerdings waren Pflege, Verpflegung und alle sonstigen Umstände so günstig wie möglich. Wir haben von der furchtbaren Kälte nichts gemerkt. Die Klinik war immer gut geheizt, die Zimmerchen zwar winzig, aber das eine mit einer märchenhaften Aussicht auf das Rheintal und Siebengebirge; morgens stieg die Sonne wie ein roter Ball aus dem Nebel, und abends gab es einfach phantastische Beleuchtungen bei immer wechselnden Wolken. Man hatte nie das Gefühl in einem Krankenhaus, sondern auf einer aussichtsreichen Höhe zu sein. Es kam allerhand Besuch, unsere Schwiegertochter (die Witwe) war die ersten Wochen in Köln und fuhr jeden Tag zu uns herüber trotz Eis und Stürmen. Für meinen Mann ist sie eben das Vermächtnis unseres unvergeßlichen Erwin, und sie ist so ein Prachtmensch, hat sich tapfer durch alles Leid durchgerungen und ihren goldenen Humor nicht verloren. Dann kam Clemens Schäfer, Gerlach, der gezwungenermaßen hier statt in München liest und andere mehr. Wir sind so lange geblieben, weil die Bedingungen so günstig waren. So haben wir hier [in Bonn] Nachkur gehalten.»[167]

Kurz vor seinem 89. Geburtstag konnte Planck als völlig geheilt wieder nach Hause entlassen werden: *Wissenschaftlich produktiv kann ich mit meinen 89 Lebensjahren nicht mehr sein; was mir bleibt, ist die Möglichkeit, die Fortschritte zu verfolgen, die meine Arbeiten mit angebahnt haben, und ab und zu durch Wiederholung meiner Vorträge den Wünschen der nach Wahrheit und Erkenntnis ringenden Menschen, vor allem der Jugend, entgegenkommen.*[168]

Einer der letzten Gäste, die Planck empfing, der Astronom Diedrich Wattenberg, berichtete über seinen Besuch im Juli 1947: «Niemals werde ich den Eindruck vergessen, der sich mir beim Einbiegen in die Merkelstraße darbot, als ich unvermittelt vor der gebeugten Gestalt eines alten Mannes stand, dessen Gang etwas schlürfend war, der eine flache Stoffmütze trug und an dem großen Griff seines Handstockes sofort zu erkennen war ... Als ich Planck wieder daheim wußte, wagte ich es, meinen Besuch zu machen. Mit größter Liebenswürdigkeit empfing mich seine Gattin ... Sie geleitete mich zu Max Planck, der ... einige wenige persönliche Worte sprach, um dann die Führung der weiteren Unterhaltung seiner Gattin zu überlassen, während er selbst im Hintergrund blieb, ohne dadurch den großen Eindruck seiner Persönlichkeit abzuschwächen, die auch im hohen Alter trotz aller Behinderungen imponierend geblieben war, während sich in die Züge seines Antlitzes das geistige Ringen eines langen Lebens eingeprägt hatte und sich hier zu einem klaren Spiegel der Seele eines großen Menschen formte. Äußerlich paarte sich damit eine beispiellose Bescheidenheit, die aber trotzdem die Größe seines Wesens als Forscher und Mensch in keinem Augenblick auslöschen konnte. Ganz im Gegenteil: Hier stand einer der Großen aus der Welt des Wissens, dem die eigene Tragödie nichts von der persönlichen Würde genommen hatte!»[169]

Wenige Tage später stürzte Planck in der Wohnung und zog sich einen Oberarmbruch und schwere Prellungen zu; wiederum mußte er wochenlang in die Klinik. Diesmal aber erholte er sich nicht mehr. Durch einen Schlaganfall verschlechterte sich sein Zustand; weitere Schlaganfälle folgten, bis er, nach qualvollen Stunden, am 4. Oktober 1947 verschied.

Drei Tage danach wurde Planck zur ewigen Ruhe gebettet. Schon um 10 Uhr war die Göttinger Albani-Kirche voll von Menschen; viele, die keinen Platz mehr gefunden hatten, standen draußen vor den Türen. Friedrich Gogarten, Ordinarius der theologischen Fakultät, Otto Hahn und Max von Laue hielten die Traueransprachen. Laue stand neben dem über und über mit Kränzen bedeckten Sarg; die Tränen erstickten ihm die Stimme: «Und dann liegt da noch ein schlichter Kranz ohne Schleife. Den habe ich für die Gesamtheit seiner Schüler niedergelegt, zu denen auch ich mich ja zähle, als ein vergängliches Zeichen unserer unvergänglichen Liebe und Dankbarkeit.»[170]

Studenten der Physik trugen den Sarg hinaus zum Leichenwagen. Wegen der weiten Entfernung zum Friedhof an der Groner Straße gab es keinen eigentlichen Trauerzug. Einzeln folgten die zahlreichen Wagen mit den Familienangehörigen, den Freunden und Schülern. Die Glocken der Göttinger Kirchen läuteten.

Unter den Kondolenzschreiben, die die Witwe aus aller Welt erhielt, befand sich auch ein Brief aus Princeton, N. J., von Albert Einstein:

«Nun hat auch Ihr Mann seine Tage vollendet, nachdem er Großes geschaffen und viel Bitteres erlebt hat. Es war eine schöne und fruchtbare Zeit, die ich in seiner Umgebung miterleben durfte. Sein Blick war auf die ewigen Dinge gerichtet, und er nahm doch tätigen Anteil an allem, was der menschlichen und zeitlichen Sphäre angehörte. Wie anders und besser stände es um die Menschenwelt, wenn mehr von seiner Eigenart unter den Führenden sein würden. So scheint es aber nicht sein zu können; die edlen Charaktere müssen in jeder Zeit und allenthalben isoliert bleiben, ohne das Treiben äußerlich beeinflussen zu können.

Die Stunden, die ich in Ihrem Hause verbringen durfte, und die vielen Gespräche, welche ich unter vier Augen mit dem wunderbaren Manne führte, werden für den Rest des Lebens zu meinen schönsten Erinnerungen gehören. Daran kann die Tatsache nichts ändern, daß uns ein tragisches Geschehen auseinander gerissen hat.

Mögen Sie in den Tagen der Einsamkeit Trost darin finden, daß Sie in das Leben des verehrten Mannes Sonne und Harmonie gebracht haben. Von ferne teile ich mit Ihnen den Schmerz des Abschiedes.»

Dr. Max Planck

NACHWORT

Der Verfasser dankt den Mitgliedern der Familie Planck, Dr. Nelly Planck (Köln), Luise Graßmann (Pöcking am Starnberger See), Dr. Grete Roos (Hildesheim) und Mechtild Seidel (Göttingen), für zahlreiche Informationen, wertvolle Fotografien und vor allem die bereitwillige Kooperation, ohne die die vorliegende Biographie nicht hätte entstehen können.

Verbesserungen und Ergänzungen des Manuskripts steuerten bei: Friedrich Herneck, Siegfried Koch, Dr. Nelly Planck, Robert Pohl, Marie-Luise Rehder und Dr. Ernst Telschow; besonders hervorzuheben ist, daß Günther Graßmann gestattet hat, ein noch unveröffentlichtes Manuskript zu zitieren, und daß mit Prof. Dr. Wilhelm H. Westphal, dem Nestor der deutschen Physiker, die Biographie in allen Details durchgesprochen werden konnte. Die Verantwortung für den Text trägt aber allein der Verfasser.

Wertvolles Quellenmaterial (Briefe und Akten) verdanke ich Prof. Dr. Laetitia Boehm (Archiv der Universität München), Katharina Saupe (Archiv der Max-Planck-Gesellschaft München), Frau Marie-Luise Rehder (Generalverwaltung der Max-Planck-Gesellschaft Göttingen), Dr. Ernst Sommerfeld (München), Frau Waltraut Wien (München), dem Deutschen Museum München, der Niedersächsischen Staats- und Universitätsbibliothek Göttingen, der Staatsbibliothek Preußischer Kulturbesitz Berlin, dem Stadtarchiv Frankfurt und dem Maximiliansgymnasium München.

Schließlich dankt der Verfasser auch noch herzlich seiner Sekretärin Frau Marianne Willi für die große Mühe mit der Erstellung des Manuskriptes.

Stuttgart, 15. August 1972   ARMIN HERMANN

ANMERKUNGEN

1 «Zeugnisnoten-Protokoll des K. Maximiliansgymnasiums in München». München 1867 f
2 Bernhard Winterstetter: «Zum 100. Geburtstag von Max Planck». In: «Stimmen aus dem Maxgymnasium», Jg. 6/1958, S. 2 f
3 *Vorträge und Erinnerungen.* 7. Aufl. Darmstadt 1969. S. 1
4 Günther Graßmann: «Max Planck» (Sondernummer «Max Planck» der Vereinszeitung des AGV München»). München 1958. S. 1 f
5 *Vorträge,* S. 80
6 «Zeugnisnoten», a. a. O.
7 Ebd.
8 Ebd.
9 «Jahresbericht über das K. Maximiliansgymnasium». München 1874
10 Brief an Josef Strasser, 14. Dezember 1930
11 Albert Hartmann: «Max Planck im Musikleben des Akademischen Gesangvereins München». In: «Vereinszeitung des AGV München», Jg. 37/1958, Nr. 5, S. 2
12 Iris Runge: «Carl Runge und sein wissenschaftliches Werk». Göttingen 1949. S. 24
13 Ebd., S. 25 f
14 Heinrich Hertz: «Erinnerungen, Briefe, Tagebücher». Leipzig [1928]. S. 72
15 *Physikalische Abhandlungen und Vorträge.* Braunschweig 1958. Bd. III, S. 375 f
16 «Max Planck in seinen Akademie-Ansprachen». Berlin 1948. S. 4 f
17 Fakultätsakten der Ludwig-Maximilians-Universität. Archiv
18 Ebd.
19 Ebd.
20 *Vorträge,* S. 4
21 Ebd., S. 4 f
22 Fakultätsakten der Ludwig-Maximilians-Universität. Archiv
23 Günther Graßmann: «Max Planck» (unveröffentl. Vortrag 1972). S. 1
24 *Vorträge,* S. 5
25 *Physikalische Abhandlungen,* Bd. III, S. 378 f
26 Ebd.
27 Schriftstücke aus der amtlichen Tätigkeit. Deutsches Zentralarchiv, Abt. Merseburg. Rep. 76 Kultusministerium, Nr. 2
28 Brief an Leo Graetz, 18. Juni 1888
29 Schriftstücke aus der amtlichen Tätigkeit, Nr. 4
30 *Physikalische Abhandlungen,* Bd. III, S. 359
31 Ebd., S. 361 f
32 Begleittext zur Schallplatte «Stimme der Wissenschaft». Diskographische Dokumente 15/4. Frankfurt a. M. o. J. S. 6
33 Agnes von Zahn Harnack: «Erinnerungen an Max Planck». In: Physikalische Blätter», Jg. 4/1948, S. 165 f
34 *Physikalische Abhandlungen,* Bd. III, S. 384
35 Max von Laue: «Zu Max Plancks 100. Geburtstage». In: «Die Naturwissenschaften», Jg. 45/1958, S. 223
36 *Physikalische Abhandlungen,* Bd. III, S. 359
37 «Zu Max Plancks sechzigstem Geburtstag». Karlsruhe 1918. S. 30
38 *Physikalische Abhandlungen,* Bd. III, S. 398 f
39 Gustav Kirchhoff: «Über das Verhältnis zwischen dem Emmissionsvermögen und dem Absorptionsvermögen». In: «Poggendorffs Annalen zur Physik», Bd. 109/1860, S. 292

40 *Physikalische Abhandlungen*, Bd. III, S. 389 f
41 *Physikalische Abhandlungen und Vorträge*. Braunschweig 1958. Bd. I, S. 666
42 Arnold Sommerfeld: «Gedächtnisfeier der Physikalischen Gesellschaft in Württemberg-Baden». In: «Annalen der Physik», 6. Folge, Bd. 3/1948, S. 5
43 Brief von Robert Pohl an den Autor, 11. Juni 1972
44 *Vorträge*, S. 181
45 *Physikalische Abhandlungen*, Bd. III, S. 407
46 Ebd., S. 263
47 Armin Hermann: «Frühgeschichte der Quantentheorie». Mosbach 1969. S. 31 f
48 Ebd., S. 32
49 Sommerfeld, a. a. O., S. 5
50 Ernst Lamla: «Erinnerungen an Max Planck». In: «Physikalische Blätter», Jg. 4/1948, S. 174
51 Lise Meitner: «Max Planck als Mensch». In: «Die Naturwissenschaften», Jg. 45/1958, S. 406
52 *Physikalische Abhandlungen und Vorträge*. Braunschweig 1958. Bd. II, S. 115
53 Brief an Albert Einstein, 6. Juli 1907
54 Ebd.
55 Brief an Albert Einstein, 8. September 1908
56 Brief an Albert Einstein, 6. Juli 1907
57 *Physikalische Abhandlungen*, Bd. II, S. 242 f
58 Brief an Wilhelm Wien, 27. Februar 1909
59 *Physikalische Abhandlungen*, Bd. III, S. 397
60 Hermann, a. a. O., S. 154
61 Ebd., S. 153
62 Brief an Wilhelm Wien, 27. Februar 1909
63 Brief an Wilhelm Wien, 22. Oktober 1909
64 Brief an Wilhelm Wien, 27. Februar 1911
65 Wilhelm H. Westphal: «Max Planck als Mensch». In: «Die Naturwissenschaften», Jg. 45/1958, S. 235
66 Zahn-Harnack, a. a. O., S. 166
67 Brief an Heinrich Greinacher, 28. April 1942
68 *Physikalische Abhandlungen*, Bd. III, S. 415
69 Meitner, a. a. O., S. 407 f
70 *Vorträge*, S. 69
71 Axel von Harnack: «Erinnerungen an Max Planck». In: «Physikalische Blätter», Jg. 4/1948, S. 170
72 Agnes von Zahn-Harnack: «Adolf von Harnack». 2. Aufl. Berlin 1951. S. 345
73 Brief an Wilhelm Wien, 8. November 1914
74 Hans Frühauf: «Max Planck als beständiger Sekretar». In: «Max Planck zum Gedenken». Berlin 1959. S. 6
75 Brief von Hendrik Antoon Lorentz an Wilhelm Wien, 3. Mai 1915
76 Hans Wehberg: «Wider den Aufruf der 93! Das Ergebnis einer Rundfrage». Berlin 1920. S. 19 f
77 Brief an Wilhelm Wien, 4. Mai 1915
78 Isidore Rabel: «Interview mit den Sources for History of Quantum Physics» (unveröffentl. Manuskript im Niels-Bohr, Archiv, Kopenhagen)
79 Brief an Wilhelm Wien, 29. Mai 1917
80 *Physikalische Abhandlungen*, Bd. III, S. 401
81 «Zu Max Plancks sechzigstem Geburtstag», a. a. O., S. 29, 31

82 «Sitzungsberichte der K. Preußischen Akademie der Wissenschaften», Jg. 1918, S. 993 (14. November 1918)
83 Ebd.
84 Brief an Wilhelm Wien, 21. Oktober 1919
85 Brief an Arnold Sommerfeld, 15. Dezember 1919
86 Brief an Wilhelm Wien, 20. Juni 1920
87 «Sitzungsberichte», a. a. O.
88 Kurt Zierold: «Forschungsförderung in drei Epochen». Wiesbaden 1968. S. 12
89 Brief an Wilhelm Wien, 13. Juni 1922
90 Armin Hermann: «Forschungsförderung der Deutschen Forschungsgemeinschaft und die Physik der letzten 50 Jahre». In: «DFG Mitteilungen» 4/70, S. 24 f
91 Ebd., S. 25
92 Brief an Wilhelm Wien, 9. Juli 1922
93 Brief an Max von Laue, 9. Juli 1922
94 Brief an Albert Einstein, 10. November 1923
95 Brief an Hendrik Antoon Lorentz, 5. Dezember 1923
96 Brief an Arnold Sommerfeld, 1. Juli 1923
97 Erwin Schrödinger: «Planck, Einstein, Lorentz. Briefe zur Wellenmechanik». Hg. von K. Przibram. Wien 1963. S. 6
98 Armin Hermann: «Erwin Schrödinger. Eine Biographie». In: «Dokumente der Naturwissenschaft» Bd. 3. Stuttgart 1963. S. 187
99 Brief an Wilhelm Wien, 21. Oktober 1927
100 Brief an Arnold Sommerfeld, 2. Februar 1929
101 *Physikalische Abhandlungen*, Bd. III, S. 389
102 Friedrich Glum: «Zwischen Wissenschaft, Wirtschaft und Politik». Bonn 1964. S. 378
103 Ernst Wölfflin: «Persönliche Erinnerungen an Max Planck». In: «Neue Schweizer Rundschau», N. F. Jg. 16/1949, S. 623
104 Brief an Albert Einstein, 19. März 1933
105 Brief an Albert Einstein, 13. April 1933
106 Brief an Albert Einstein, 31. März 1933
107 Brief von Albert Einstein, 6. April 1933
108 Friedrich Herneck: «Albert Einstein. Ein Leben für Wahrheit, Menschlichkeit und Frieden». 3. Aufl. Berlin 1967. S. 206 f
109 Brief an Max von Laue, 11. September 1933
110 «Mein Besuch bei Adolf Hitler». In: «Physikalische Blätter», Jg. 3/1947, S. 143
111 Brief an Max von Laue, 22. März 1934
112 Meitner, a. a. O., S. 407
113 Brief an Max von Laue, 21. August 1935
114 «New York Times», Januar 1936
115 Brief an Max von Laue, 22. Dezember 1936
116 Brief an Max von Laue, 17. November 1937
117 William Edward Dodd: «Ambassador Dodd's Diary». New York 1941. S. 431
118 «Das Schwarze Korps», 15. Juli 1937
119 Brief an Max von Laue, 17. November 1937
120 Ernst Brüche: «Vom großen Fest der Physiker im Jahre 1938». Begleittext zur Schallplatte «Stimme der Wissenschaft»
121 Begleittext zur Schallplatte, S. 10 f (s. Anm. 32)
122 Brüche, a. a. O., S. 2 f
123 Graßmann, «Max Planck», München 1958, S. 7
124 *Vorträge*, S. 318 f, 333

125 Heinrich von Ficker: «Erinnerungen an Max Planck». In: Physikalische Blätter», Jg. 4/1948, S. 165
126 Herneck, a. a. O., S. 365
127 Alfred Bertholet: «Erinnerungen an Max Planck». In: «Physikalische Blätter», Jg. 4/1948, S. 162
128 Wilhelm H. Westphal: «Erinnerungen an Max Planck». In: «Physikalische Blätter», Jg. 4/1948, S. 168
129 Brief an Max von Laue, 26. April 1941
130 Brief an Max von Laue, 12. März 1943
131 Brief an Max von Laue, 24. April 1943
132 Akten des Stadtarchivs Frankfurt a. M.
133 Brief an Max von Laue, 19. August 1943
134 Brief an Max von Laue, 30. Oktober 1943
135 Brief an Max von Laue, 27. November 1943
136 Brief an Max von Laue, 22. November 1943
137 Brief an Max von Laue, 18. Februar 1944
138 Brief an Max von Laue, 24. März 1944
139 Brief von Marga Planck an Max von Laue, 22. April 1944
140 Brief von Marga Planck an Max von Laue, 20. Mai 1944
141 Brief von Marga Planck an Max von Laue, 4. Juni 1944
142 Werner Heisenberg: «Zum 100. Geburtstag von Max Planck». In: «Stimmen aus dem Maxgymnasium», Jg. 6/1958, S. 15
143 Brief an Max von Laue, 8. August 1944
144 Brief von Marga Planck an Luise Wien, 3. Januar 1945
145 Brief an Max von Laue, 2. November 1944
146 Brief an Max von Laue, 6. September 1944
147 Dieter Bachmann und Walter Trummert: «Max Planck in der Vorlesung von Sauerbruch». In: «Münchener Medizinische Wochenschrift», Jg. 112/1970, S. 160 f
148 Brief von Marga Planck an Max von Laue, 8. März 1945
149 Ebd.
150 Brief an Arnold Sommerfeld, 4. Februar 1945
151 Brief an Fritz und Grete Lenz, 2. Februar 1945
152 Brief an Alfred Bertholet, 28. März 1945
153 Brief von Marga Planck an Max von Laue, 8. März 1945
154 Brief von Marga Planck an Maria Vogel (Amorbach), ohne Datum
155 Ebd.
156 Brief von Robert Pohl an den Autor, 11. Juni 1972
157 Brief von Marga Planck an Arnold Sommerfeld, 13. September 1945
158 Brief an Adolf Grimme, 14. August 1945
159 Brief an Arnold Sommerfeld, 5. Mai 1946
160 Ernst Telschow: «Bericht über die Kaiser-Wilhelm-Gesellschaft von Ende 1944 bis zur Ernennung des Präsidenten Otto Hahn» (unveröffentl. in den Akten der Max-Planck-Gesellschaft, München)
161 «50 Jahre Kaiser-Wilhelm-Gesellschaft und Max-Planck-Gesellschaft zur Förderung der Wissenschaften 1911–1961. Beiträge und Dokumente». Göttingen 1961. S. 199
162 Erika Bollmann [u. a.]: «Erinnerungen und Tatsachen. Die Kaiser-Wilhelm-Gesellschaft . . . 1945/1946». Stuttgart 1956. S. 21
163 Ebd., S. 25
164 Brief von Marga Planck an Arnold Sommerfeld, 3. Juli 1946
165 Wölfflin, a. a. O., S. 625
166 Brief an Arnold Sommerfeld, 4. Dezember 1946
167 Brief von Marga Planck an Luise Wien, 15. April 1947

168 Brief an die Zeitschrift «Atlantis». In: «Atlantis», Jg. 14/1947, S. 223
169 Diedrich Wattenberg: «Letzte Begegnung mit Max Planck». In: «Vorträge und Schriften der Archenhold-Sternwarte» 11 (1962), S. 3 f
170 *Physikalische Abhandlungen*, Bd. III, S. 420

ZEITTAFEL

1858 23. April: Max Planck in Kiel geboren

1867 Übersiedlung nach München

1874 Abitur am Maximiliansgymnasium.

     21. Oktober: Immatrikulation an der Universität München

1878 Studium bei Hermann von Helmholtz und Gustav Kirchhoff in Berlin

1879 28. Juni: Promotion an der Universität München mit der Dissertation *Über den zweiten Hauptsatz der Wärmetheorie*

1880 14. Juni: Habilitation an der Universität München

1885 2. Mai: Bestallung zum außerordentlichen Professor für mathematische Physik in Kiel

1887 31. März: Heirat mit Marie Merck

1889 1. April: Amtsantritt an der Universität Berlin als Nachfolger von Gustav Kirchhoff, zunächst als Extraordinarius

1892 23. Mai: Ernennung zum Ordinarius

1894 Beginn der Arbeiten über Wärmestrahlung.

     11. Juni: Aufnahme in die Preußische Akademie der Wissenschaften

1897 Vorlesungen über Thermodynamik veröffentlicht

1899 Entdeckung der Naturkonstanten h, bald Plancksches Wirkungsquantum genannt

1900 19. Oktober: Plancksches Gesetz der Wärmestrahlung.

     14. Dezember: Vortrag vor der Deutschen Physikalischen Gesellschaft in Berlin, später als «Geburtstag der Quantentheorie» erkannt

1905 10. März: Einzug in das eigene Haus Wangenheimstr. 21

1906 Vorlesungen über die Theorie der Wärmestrahlung veröffentlicht. Erste wissenschaftliche Stellungnahme zu Albert Einsteins Relativitätstheorie

1909 17. Oktober: Tod von Marie Planck

1911 14. März: Heirat mit Marga von Hoeßlin

1912 23. März: Beständiger Sekretar der mathematisch-physikalischen Klasse der Preußischen Akademie der Wissenschaften

1913 15. Oktober–15. Oktober 1914: Rektor der Universität Berlin

1916 26. Mai: Sohn Karl vor Verdun gefallen

1917 15. Mai: Tod der Tochter Grete bei der Geburt des ersten Kindes

1918 Nobelpreis für Physik (Bekanntgabe im November 1919)

1919 21. November: Tod der Tochter Emma bei der Geburt des ersten Kindes

1926 1. Oktober: Entpflichtung von der akademischen Lehrtätigkeit

1929 28. Juni: Stiftung der Max-Planck-Medaille der Deutschen Physikalischen Gesellschaft und erste Verleihung an Max Planck und Albert Einstein

1930 18. Juli: Präsident der Kaiser-Wilhelm-Gesellschaft (bis Mitte 1937). Das abschließende Werk der fünfbändigen *Einführung in die theoretische Physik* erscheint

1938 Ende Dezember: Amt in der Preußischen Akademie auf nationalsozialistischen Druck niedergelegt

1943 Evakuierung nach Rogätz bei Magdeburg

1944 15./16. Februar: Plancks Wohnhaus in Grunewald bei einem Luftangriff auf Berlin zerstört

1945 23. Januar: Sohn Erwin als Mitwisser der Verschwörung gegen Hitler hingerichtet.

     16. Mai: Nach dem Zusammenbruch von amerikanischen Offizieren nach Göttingen zu Verwandten gebracht.

     Juli: Planck übernimmt abermals die Geschäfte des Präsidenten der Kaiser-Wilhelm-Gesellschaft und wird nach dem Amtsantritt Otto Hahns am 1. April 1946 Ehrenpräsident.

28. August: Goethe-Preis der Stadt Frankfurt a. M.

1946 11. September: Gründung der «Max-Planck-Gesellschaft zur Förderung der Wissenschaften in der britischen Zone» als Nachfolgeorganisation der Kaiser-Wilhelm-Gesellschaft

1947 28. März: Letzter auswärtiger Vortrag in Bonn.
4. Oktober: Max Planck stirbt in Göttingen

1948 23. April: Gedenkfeier in der Aula der Universität Göttingen

1958 Feiern zum 100. Geburtstag Plancks. Herausgabe der dreibändigen *Physikalischen Abhandlungen und Vorträge*

ZEUGNISSE

LISE MEITNER

In den 40 Jahren, die ich Planck gekannt habe, und in denen er mir allmählich sein Vertrauen und seine Freundschaft geschenkt hat, habe ich immer wieder mit Bewunderung festgestellt, daß er nie etwas getan oder nicht getan hat, weil es ihm nützlich oder schädlich hätte sein können. Was er für richtig erkannt hat, hat er durchgeführt ohne Rücksicht auf seine eigene Person.

In: «Die Naturwissenschaften», Jg. 45/1958, S. 407

HEINRICH VON FICKER

Nie, glaube ich, war wahrhafte Größe in gleichem Maße mit Bescheidenheit gepaart wie in Max Planck. Nie sprach er in autoritativem Ton, aber sobald er sprach, so hörten alle auf ihn. Wie oft hat er in den Sitzungen der Berliner Philosophischen Fakultät nach langen Debatten durch einige einfache, ruhige, klare Sätze eine Frage zum Abschluß gebracht, weil alle wußten und fühlten, daß das, was Planck sprach, immer und ausschließlich nur der Ausfluß sachlicher Erwägungen war. Alles, was nach Clique roch, war ihm in tiefster Seele verhaßt.

In: «Physikalische Blätter», Jg. 4/1948, S. 163

ARNOLD SOMMERFELD

Was wir heutzutage aus der Sprache der Spektren heraus hören, ist eine wirkliche Sphärenmusik des Atoms, ein Zusammenklingen ganzzahliger Verhältnisse, eine bei aller Mannigfaltigkeit zunehmende Ordnung und Harmonie. Für alle Zeiten wird die Theorie der Spektrallinien den Namen Bohrs tragen. Aber noch ein anderer Name wird dauernd mit ihr verknüpft sein, der Name Plancks. Alle ganzzahligen Gesetze der Spektrallinien und der Atomistik fließen letzten Endes aus der Quantentheorie. Sie ist das geheimnisvolle Organon, auf dem die Natur die Spektralmusik spielt und nach dessen Rhythmus sie den Bau der Atome und der Kerne regelt.

«Atombau und Spektrallinien». Vorwort zur 1. Aufl.
Braunschweig 1919

MAX VON LAUE

Plancks Name wird für alle Zeiten in der Physik bleiben. Zwar haben andere nach ihm die Quantentheorie weiter, viel weiter entwickelt, und diese Entwicklung ist noch nicht einmal zu Ende. Aber den ersten, richtungsweisenden Schritt, der sich in der Einführung einer neuen universellen Konstanten dokumentiert, hat eben doch Planck und kein anderer gewagt. Der geniale Mut, der sich darin äußert, wird als Vorbild für künftige große Taten noch nach Jahrhunderten die Wissenschaftler begeistern.

Jahrbuch der Deutschen Akademie der Wissenschaften zu Berlin.
Jg. 1946–1949, S. 220

Marialuisa Strub-Moresco

Von seiner Nähe wurde in mir ein wunderschönes Gefühl der Ruhe und der Verehrung ausgelöst. Er wirkte unmittelbar, ohne jegliche Pose, mit einer ganz natürlichen Wärme und Lebendigkeit... In wenigen, einfachen Worten erwähnte er sein Erleben in der Musik und vermittelte mir die unvergeßliche Faszination, wie sich Musik und Wissenschaft in dieser genialen Persönlichkeit zu einer selbstverständlichen Harmonie verbanden.

Für die vorliegende Monographie geschrieben. Stuttgart, Mai 1972

Wilhelm H. Westphal

Wir, die wir Planck haben näherstehen dürfen, haben ihn nicht nur verehrt und bewundert, sondern wie einen Vater geliebt. In ganz seltener Weise vereinigten sich in ihm höchstes Forschertum mit edelstem Menschentum, klarster Verstand mit einer wahrhaft reinen Seele. Wer je seiner bedurfte, war seines verständnisvollen Rates und seiner Hilfsbereitschaft gewiß. Schwerste Schicksalsschläge haben seine auf dem festen Grunde einer tiefen Religiosität ruhende Seele nicht zu brechen vermocht. Er blieb bis an sein Ende ein das Leben bejahender Mensch, der seinen inneren Ausgleich immer wieder in seinem Gottvertrauen, in seiner Wissenschaft, in der Musik und in der Natur fand. Ihm ist das Glück zuteil geworden, auf ein wahrhaft vollendetes Leben zurückblicken zu dürfen. Es schenkte ihm Leistungen, deren auch eine späte Nachwelt noch gedenken wird, und es vergönnte ihm, die Bewunderung und den Dank der Mitwelt für diese Leistungen zu erleben. Zwar ging dieses große Leben nicht leuchtend nieder, sondern eingehüllt in eine dichte Wolke von Leid. Dennoch wissen wir, daß es noch in eine ferne Zukunft leuchten wird.

In: «Die Naturwissenschaften», Jg. 45/1958, S. 236

BIBLIOGRAPHIE

1. Schriften von Max Planck

Das Prinzip der Erhaltung der Energie. Leipzig 1887 – 5. Aufl. 1924
Vorlesungen über Thermodynamik. Leipzig 1897 – 11. Aufl. 1964
Vorlesung über die Theorie der Wärmestrahlung. Leipzig 1906 – 6. Aufl. 1966
Acht Vorlesungen über theoretische Physik, gehalten an der Columbia University. Leipzig 1910
Einführung in die theoretische Physik. 5 Bde. Leipzig 1916–1930
Max Planck in seinen Akademie-Ansprachen. Erinnerungsschrift der Deutschen Akademie der Wissenschaften zu Berlin. Berlin 1948
   Hier nicht aufgenommene Ansprachen in: Sitzungsberichte der Preußischen Akademie der Wissenschaften
Physikalische Abhandlungen und Vorträge. 3 Bde. Braunschweig 1958
Vorträge und Erinnerungen. 7. Aufl. Darmstadt 1969

2. Briefe

Die für das Verständnis der Persönlichkeit und des Werkes von Max Planck unentbehrlichen Selbstzeugnisse sind bisher nur vereinzelt publiziert. Viele hundert Briefe wurden für die vorliegende Biographie erstmalig historisch ausgewertet.

3. Aktenmaterial

Jahresbericht über das K. Maximiliansgymnasium in München. München 1867 f
Zeugnisnoten-Protokoll des K. Maximiliansgymnasiums. 1867 f
Fakultätsakten der Ludwig-Maximilian-Universität. Archiv
Schriftstücke aus der amtlichen Tätigkeit. Deutsches Zentralarchiv, Abt. Merseburg, Rep. 76 Kultusministerium. 15 Nummern (Kopie im Besitz der Max-Planck-Gesellschaft, Archiv München)
Akten der Kaiser-Wilhelm-Gesellschaft und der Max-Planck-Gesellschaft. Präsidium der Max-Planck-Gesellschaft München (Archiv)
Akten des Stadtarchivs Frankfurt a. M.

4. Sekundärliteratur

BACHMANN, DIETER, und WALTER TRUMMERT: Max Planck in der Vorlesung von Sauerbruch. In: Münchener Medizinische Wochenschrift, Jg. 112/1970, S. 158–161
BALMER, HEINZ: Planck und Einstein beantworten eine wissenschaftliche Rundfrage. In: Physikalische Blätter, Jg. 25/1969, S. 558
BERTHOLET, ALFRED: Erinnerungen an Max Planck. In: Physikalische Blätter, Jg. 4/1948, S. 161 f
BOLLMANN, ERIKA [u. a.]: Erinnerungen und Tatsachen. Die Kaiser-Wilhelm-Gesellschaft . . . 1945/1946. Stuttgart 1956
BORN, MAX: Max Karl Ernst Ludwig Planck 1858–1947. In: Obituary Notices Royal Society, vol. 6/1948, S. 161–188
   Max Planck 1858–1947. In: Die großen Deutschen. Deutsche Biographie Bd.

4. Berlin 1957. S. 214–226

BRÜCHE, ERNST: Vom großen Fest der Physiker im Jahre 1938. In: Begleitmanu-skript zur Schallplatte «Stimme der Wissenschaft» 15/4. Frankfurt a. M. o. J.

DINGLER, HUGO: Max Planck und die Begründung der sog. modernen theoreti-schen Physik. Berlin 1939

DINKLER, ERICH: Max Planck und die Religion. In: Zeitschrift für Theologie und Kirche, Jg. 56/1959, S. 201–223

DODD, WILLIAM EDWARD: Ambassador Dodd's Diary. New York 1941

EINSTEIN, ALBERT, und HEDWIG und MAX BORN: Briefwechsel. München 1969 – Neuausg. Briefwechsel 1916–1955. Reinbek 1972 (= rororo. 1478)

EINSTEIN, ALBERT, und LEOPOLD INFELD: Die Evolution der Physik. Von Newton bis zur Quantentheorie. Hamburg 1956 (= rowohlts deutsche enzyklopädie. 12)

EINSTEIN, ALBERT, und ARNOLD SOMMERFELD: Briefwechsel. 60 Briefe aus dem goldenen Zeitalter der modernen Physik. Basel–Stuttgart 1968

FALKENHAGEN, HANS: Die Elektrolytarbeiten von Max Planck und ihre weitere Entwicklung. In: Max-Planck-Festschrift 1958. Berlin 1958. S. 11–34

FICKER, HEINRICH VON: Erinnerungen an Max Planck. In: Physikalische Blätter, Jg. 4/1948, S. 162–165

FLAMM, LUDWIG: Max Planck †. In: Almanach der österreichischen Akademie, Jg. 1948, S. 222–227

FRÜHAUF, HANS: Max Planck als beständiger Sekretar der Preußischen Akademie. In: Max Planck zum Gedenken. Hg. von der Deutschen Akademie der Wissen-schaften zu Berlin. Berlin 1959

GERLACH, WALTHER: Die Quantentheorie. Max Planck, sein Werk und seine Wir-kung. Bonn 1948
Max Planck und sein Werk. In: Naturwissenschaft heute. Gütersloh 1965. S. 16–24
Die Promotion von Max Planck 1879. In: Jahrbuch der Max-Planck-Gesell-schaft. Jg. 1969, S. 42–45
Max Planck. In: Die Großen der Weltgeschichte Bd. IX. Zürich 1970. S. 381–403

GLUM, FRIEDRICH: Zwischen Wissenschaft, Wirtschaft und Politik. Bonn 1964

GRASSMANN, GÜNTHER: Max Planck. München 1958 (= Sondernummer «Max Planck» der Vereinszeitung des AGV München)
Max Planck. Unveröffentl. Vortrag 1972

GRIMME, ADOLF: Briefe. Hg. von DIETER SAUBERZWEIG. Heidelberg 1967

HAHN, OTTO: Zur Erinnerung an die Haber-Gedächtnisfeier vor 25 Jahren. In: Mitteilungen aus der Max-Planck-Gesellschaft 1 (1960), S. 3–13
Mein Leben. München 1968

HARNACK, AXEL VON: Erinnerungen an Max Planck. In: Physikalische Blätter, Jg. 4/1948, S. 170 f

HARTMANN, ALBERT: Max Planck im Musikleben des Akademischen Gesangver-eins München. In: Vereinszeitung des AGV München, Jg. 37/1958, Nr. 5

HARTMANN, HANS: Max Planck als Mensch und Denker. Berlin 1943 – 2. neubearb. Aufl. Leipzig 1948
Gehört Max Planck in die Geschichte der Philosophie? In: Zeitschrift für philo-sophische Forschung, Bd. 13/1959, S. 118–128

HEISENBERG, WERNER: Das Plancksche Wirkungsquantum. In: Preußische Akade-mie der Wissenschaften. Vorträge und Schriften, H. 21. Berlin 1945
Die Auswirkungen des Lebenswerkes Max Plancks. In: Angewandte Chemie, Jg. 61/1949, S. 115–117
Das Naturbild der heutigen Physik. Hamburg 1955 (= rowohlts deutsche enzyklopädie. 8)

Zum 100. Geburtstag von Max Planck. Festrede. In: Stimmen aus dem Max-gymnasium, Jg. 6/1958, S. 6–17

Der Teil und das Ganze. Gespräche im Umkreis der Atomphysik. München 1969

HERMANN, ARMIN: Frühgeschichte der Quantentheorie. Mosbach 1969

Forschungsförderung der Deutschen Forschungsgemeinschaft und die Physik der letzten 50 Jahre. In: DFG Mitteilungen 4/70, S. 21–34

Erwin Schrödinger. Eine Biographie. In: Dokumente der Naturwissenschaft Bd. 3. Stuttgart 1963. S. 173–192

HERNECK, FRIEDRICH: Ein Brief Max Plancks über sein Verhältnis zum Gottesglauben. In: Forschungen und Fortschritte, Jg. 32/1958, S. 364–366

Bemerkung zur Religiosität Max Plancks. In: Physikalische Blätter, Jg. 16/1960, S. 382–384

Albert Einstein. Ein Leben für Wahrheit, Menschlichkeit und Frieden. 3. Aufl. Berlin 1967

Bahnbrecher des Atomzeitalters. Große Naturforscher von Maxwell bis Heisenberg, 4. Aufl. Berlin 1969

HERTZ, HEINRICH: Erinnerungen, Briefe, Tagebücher. Zusammengest. von Dr. JOHANNA HERTZ. Leipzig 1928

HÖNL, HELMUT: Zum hundertsten Geburtstag von Max Planck. In: Schweizer Monatshefte, Jg. 38/1958, S. 22–30

HUND, FRIEDRICH: Geschichte der Quantentheorie. Mannheim 1967 (= BI Hochschultaschenbuch. 200/200 a)

JAMMER, MAX: The Conceptual Development of Quantum Mechanics. New York 1966

JANOSSY, LAJOS: Die philosophischen Ansichten Plancks in der Physik. In: Max-Planck-Festschrift 1958. Berlin 1959. S. 389–407

JOFFE, A. F., und A. T. GRIGORIAN (Hg.): Max Planck 1858–1958. Moskau 1958 [russ.]

KANGRO, HANS: Vorgeschichte des Planckschen Strahlungsgesetzes. Wiesbaden 1970

KERSCHENSTEINER, GERHARD: Max Plancks Forderung an Theologie und Kirche. In: Wissenschaftliche Zeitschrift der Ernst-Moritz-Arndt-Universität Greifswald. Ges. und sprachw. Reihe, Jg. 10/1961, S. 243–252

KIRCHHOFF, GUSTAV: Über das Verhältnis zwischen dem Emissionsvermögen und dem Absorptionsvermögen. In: Poggendorffs Annalen der Physik, Bd. 109, 1860, S. 275–301

KLEIN, MARTIN J.: Max Planck and the Beginnings of Quantum Theory. In: Archive for History of Exact Sciences, vol. 1/1962, S. 459–479

Planck, Entropy, and Quanta, 1901–1906. In: The Natural Philosopher, vol. 1. New York–London 1963. S. 83–108

KLOHR, OLOF: Max Planck – Naturwissenschaft – Religion. In: Wissenschaftliche Zeitschrift der Martin-Luther-Universität Halle–Wittenberg. Math. naturw. Reihe, Jg. 6/1956/57, S. 293–299

Naturwissenschaft, Religion und Kirche. Berlin 1958

KRETSCHMAR, HERMANN: Max Planck als Philosoph. München–Basel 1967

KROPP, GERHARD: Die philosophischen Gedanken Max Plancks. In: Zeitschrift für philosophische Forschung, Bd. 6/1962, S. 434–458

LAMLA, ERNST: Erinnerungen an Max Planck. In: Physikalische Blätter, Jg. 4/1948, S. 172–174

Max Planck. In: Forscher und Wissenschaftler im heutigen Europa Bd. 1. Oldenburg 1955. S. 38–46

Zum 100. Geburtstage Max Plancks. In: Der mathematische und naturwissenschaftliche Unterricht, Bd. 11/1958, S. 1–8

Lankenau, Ehrfried: Max Planck und die Philosophie. Bonn 1957

Laue, Max von: Max Planck. In: Die Naturwissenschaften, Jg. 35/1948, S. 1–7
Zu Max Plancks 100. Geburtstage. In: Die Naturwissenschaften, Jg. 45/1958, S. 221–226
Zu Max Plancks 100stem Geburtstag. In: Jahrbuch der Max-Planck-Gesellschaft, Jg. 1958, S. 5–25
Nachruf auf Max Planck. In: Jahrbuch der Deutschen Akademie der Wissenschaften zu Berlin, Jg. 1946–1949. Berlin 1950. S. 217–220

Leber, Annedore: Das Gewissen steht auf. 64 Lebensbilder aus dem deutschen Widerstand. Berlin–Frankfurt a. M. 1954 [Erwin Planck: S. 128–130]

Meissner, Walther: Max Planck zum Gedächtnis. In: Zeitschrift für Naturforschung, Bd. 2 a/1947, S. 587–595
Gedenkrede auf Max Planck. In: Sitzungsberichte der Bayerischen Akademie, math.-naturw. Klasse, Jg. 1949, S. 1–20

Meitner, Lise: Max Planck als Mensch. In: Die Naturwissenschaften, Jg. 45/1958, S. 406–408

Rabel, Isidore: Interview mit den Sources for History of Quantum Physics. Unveröffentl. Manuskript im Niels-Bohr-Archiv, Kopenhagen

Reiche, Fritz: Interview mit den Sources for History of Quantum Physics. Unveröffentl. Manuskript im Niels-Bohr-Archiv, Kopenhagen

Rosenfeld, Léon: La première Phase de l'évolution de la Théorie des Quanta. In: Osiris, vol. II/1936, S. 149–196
Max Planck et la définition statistique de l'entropie. In: Max-Planck-Festschrift 1958. Berlin 1959. S. 203–211

Runge, Iris: Carl Runge und sein wissenschaftliches Werk. Göttingen 1949

Schaefer, Clemens: Erinnerung an Max Planck. In: Der mathematische und naturwissenschaftliche Unterricht, Bd. 1/1948, S. 3–4

Scholz, Heinrich: In memoriam Max Planck. In: Frankfurter Hefte, Jg. 3/1948, S. 146–161

Schrödinger, Erwin: Planck, Einstein, Lorentz. Briefe zur Wellenmechanik. Hg. von K. Przibram. Wien 1963

Sommerfeld, Arnold: Gedächtnisfeier der Physikalischen Gesellschaft in Württemberg-Baden. In: Annalen der Physik, 6. Folge, Bd. 3/1948, S. 3–6

Sticker, Bernhard: Max Planck. Mensch und Werk. In: Der mathematische und naturwissenschaftliche Unterricht, Bd. 20/1967, S. 241–249

Strauss, Martin: Max Planck und die Entstehung der Quantentheorie. In: Forschen und Wirken. Festschrift zur 150-Jahr-Feier der Humboldt-Universität zu Berlin Bd. 1. Berlin 1960. S. 367–399

Telschow, Ernst: Bericht über die Kaiser-Wilhelm-Gesellschaft von Ende 1944 bis zur Ernennung des Präsidenten Otto Hahn. Unveröffentl. Akten der Max-Planck-Gesellschaft, München

Thiele, Joachim: Ein zeitgenössisches Urteil über die Kontroverse zwischen Max Planck und Ernst Mach. In: Centaurus, vol. 13/1968, S. 85–90

Unsöld, Albrecht: Max Planck. Kiel 1958 (= Veröffentlichung der Schleswig-Holsteinischen Universitätsgesellschaft. N. F. Nr. 24)
Max Planck, seine Zeit und unsere Zeit. In: Physikalische Blätter, Jg. 23/1967, S. 405–408

Vogel, Heinrich: Zum philosophischen Wirken Max Plancks. Seine Kritik am Positivismus. Berlin 1961 [Mit ausführlichem Literaturverzeichnis]

Wattenberg, Diedrich: Letzte Begegnung mit Max Planck. In: Vorträge und Schriften der Archenhold-Sternwarte Nr. 11. Berlin 1962

Wehberg, Hans: Wider den Aufruf der 93! Das Ergebnis einer Rundfrage. Berlin 1920

Wehefritz, Valentin: Max Planck. Gedächtnisausstellung zum 20. Todesjahr

[Katalog]. Hamburg 1967

WESTPHAL, WILHELM H.: Max Planck als Mensch. In: Die Naturwissenschaften, Jg. 45/1958, S. 234–236

WICKERT, JOHANNES: Albert Einstein. Reinbek 1972 (= rowohlts monographien. 162)

WINTERSTETTER, BERNHARD: Zum 100. Geburtstag von Max Planck. In: Stimmen aus dem Maxgymnasium, Jg. 6/1958, S. 1–6

WÖLFFLIN, ERNST: Persönliche Erinnerungen an Max Planck. In: Neue Schweizer Rundschau, N. F. Jg. 16/1949, S. 617–627

ZAHN-HARNACK, AGNES VON: Erinnerungen an Max Planck. In: Physikalische Blätter, Jg. 4/1948, S. 165–167

Adolf von Harnack. 2. Aufl. Berlin 1951

ZIEROLD, KURT: Forschungsförderung in drei Epochen. Wiesbaden 1968

NAMENREGISTER

Die kursiv gesetzten Zahlen bezeichnen die Abbildungen

ÜBER DEN AUTOR

Professor Dr. ARMIN HERMANN, geboren am 17. Juni 1933 in Vernon, B. C. / Canada, ist Inhaber des Lehrstuhls für Geschichte der Naturwissenschaften und Technik an der Universität Stuttgart.

Nach der Promotion in theoretischer Physik und mehrjähriger Tätigkeit als Physiker beim Deutschen Elektronen-Synchroton habilitierte er sich für die Geschichte der Naturwissenschaften; er hat sich seither als Historiker und als Buch- und Rundfunkautor einen Namen geschaffen. Zu diesen Werken zählen unter anderem «Frühgeschichte der Quantentheorie» (auch englisch und japanisch), «Werner Heisenberg» (rowohlts monographien Bd. 240; auch englisch und japanisch), «Weltreich der Physik» (München 1980) und «Wie die Wissenschaft ihre Unschuld verlor» (Stuttgart 1982).

QUELLENNACHWEIS DER ABBILDUNGEN

rowohlts bild-monographien

Herausgegeben von Kurt und Beate Kusenberg.
Jeder Band mit etwa 70 Abbildungen, Zeittafel,
Bibliographie und Namenregister.

rowohlts bild-monographien

Herausgegeben von Kurt und Beate Kusenberg.
Jeder Band mit etwa 70 Abbildungen, Zeittafel,
Bibliographie und Namenregister.

rowohlts bild-monographien

Herausgegeben von Kurt und Beate Kusenberg.
Jeder Band mit etwa 70 Abbildungen, Zeittafel,
Bibliographie und Namenregister.

rowohlts bild-monographien

Herausgegeben von Kurt und Beate Kusenberg.
Jeder Band mit etwa 70 Abbildungen, Zeittafel,
Bibliographie und Namenregister.

rowohlts bild-monographien

Herausgegeben von Kurt und Beate Kusenberg.
Jeder Band mit etwa 70 Abbildungen, Zeittafel,
Bibliographie und Namenregister.

rowohlts bild-monographien

**Herausgegeben von Kurt und Beate Kusenberg.
Jeder Band mit etwa 70 Abbildungen, Zeittafel,
Bibliographie und Namenregister.**

Betrifft:
Musik

rowohlts bild-monographien

**Herausgegeben von Kurt und Beate Kusenberg.
Jeder Band mit etwa 70 Abbildungen, Zeittafel,
Bibliographie und Namenregister.**

Betrifft:
Philosophie

Aristoteles
J. M. Zemb (63)

Ernst Bloch
Silvia Markun (258)

Giordano Bruno
Jochen Kirchhoff (285)

Cicero
Marion Giebel (261)

René Descartes
Rainer Specht (117)

Friedrich Engels
Helmut Hirsch (142)

Erasmus von Rotterdam
Anton J. Gail (214)

Ludwig Feuerbach
H. M. Sass (269)

Erich Fromm
Rainer Funk (322)

Gandhi
Heimo Rau (172)

**Georg Wilhelm
Friedrich Hegel**
Franz Wiedemann (110)

Martin Heidegger
Walter Biemel (200)

Johann Gottfried Herder
Friedrich Wilhelm
Kantzenbach (164)

Max Horkheimer
Helmut Gumnior und
Rudolf Ringguth (208)

Karl Jaspers
Hans Saner (169)

Immanuel Kant
Uwe Schultz (101)

Sören Kierkegaard
Peter P. Rohde (28)

Konfuzius
Pierre Do-Dinh (42)

Georg Lukács
Fritz J. Raddatz (193)

Karl Marx
Werner Blumenberg (76)

Friedrich Nietzsche
Ivo Frenzel (115)

Blaise Pascal
Albert Béguin (26)

Platon
Gottfried Martin (150)

Jean-Jacques Rousseau
Georg Holmsten (191)

Bertrand Russell
Ernst R. Sandvoss (282)

Max Scheler
Wilhelm Mader (290)

**Friedrich Wilhelm
Joseph von Schelling**
Jochen Kirchhoff (308)

F. D. E. Schleiermacher
Friedrich Wilhelm
Kantzenbach (126)

Arthur Schopenhauer
Walter Abendroth (133)

Sokrates
Gottfried Martin (128)

Spinoza
Theun de Vries (171)

Rudolf Steiner
Joh. Hemleben (79)

Voltaire
Georg Holmsten (173)

Ludwig Wittgenstein
Kurt Wuchterl und
Adolf Hübner (275)

P 2054/2

Kulturgeschichte der Naturwissenschaften und der Technik

Bücher über die Geschichte der Technik sind meist Bücher über die Geschichte von Maschinen, Erfindungs-Geschichte. Nur selten erfährt man etwas darüber, wer diese Erfindungen benutzte, wer sie bediente und welche Folgen die Nutzung der Erfindungen auf sozialem und wirtschaftlichem Gebiet hatte. Man lernt etwas über das Funktionieren von Apparaten, aber wenig über die Konsequenzen dieses Funktionierens. Das berühmte Deutsche Museum in München war früher mit seiner grandiosen Galerie von Exempeln aus der ganzen Technikgeschichte das getreue Abbild dieser Denkweise. Gerade dort aber, im Deutschen Museum, hat man zwei großangelegte Projekte vewirklicht, die dem Publikum die übersehenen und übergangenen Zusammenhänge zwischen technischer Entwicklung und wirtschaftlichen, politischen und sozialen Veränderungen deutlich machen. Als Rowohlt-Taschenbücher werden die Ergebnisse dieser Projektarbeiten jetzt zugänglich, und die ersten sechs Bände dieser neuen Reihe zeigen, daß der Reihentitel «Kulturgeschichte der Naturwissenschaften und der Technik» eher untertrieben ist, denn was da entsteht, ist weit mehr als das, was man sich gewöhnlich unter einer «Kulturgeschichte» vorstellt . . .
«Aus Wissenschaft und Technik», WDR, 20. 02. 82

rororo sachbuch Deutsches Museum Kulturgeschichte der Naturwissenschaften und der Technik

rororo Handbücher
sind
zuverlässige Ratgeber

Deutsche Rechtschreibung

Hg. von Prof. Dr. Lutz Mackensen. Ein Handbuch für Büro, Schule und Haus. Über 100.000 Stichwörter: Schreibung, Silbentrennung, Aussprache, Betonung, Beugung und weitere grammatikalische Hinweise, Regeln der Rechtschreibung, Korrekturzeichen, 15.000 Fremdwörter, 1000 Vornamen, 1700 Abkürzungen, 4000 Ortsnamen (6034)

Gutes Deutsch in Schrift und Rede

Hg. von Prof. Dr. Lutz Mackensen. Ein Ratgeber für jedermann in allen Sprachfragen (6049)

Schlagfertige Definitionen

Ausgewählt von Lothar Schmidt
Von Aberglaube bis Zynismus. 5000 geschliffene Begriffsbeschreibungen für Rede, Gespräch, Diskussion, Referat, Artikel oder Brief. Begriffe aus Philosophie, Politik, Gesellschaft, Wirtschaft, Wissenschaft, Kunst und Literatur (6186)

A. M. Textor Sag es treffender

Ein Handbuch mit 20.000 sinnverwandten Wörter und Ausdrücken für den täglichen Gebrauch in Büro, Schule und Haus (6031)

– Auf deutsch

Dies Fremdwörterbuch erklärt knapp und zuverlässig mit Angabe der richtigen Aussprache und des grammatischen Geschlechts 20.000 Fremdwörter aus allen Lebensgebieten (6084)

Gunther Bischoff Speak you English?

Programmierte Übung zum Verlernen typisch deutscher Englischfehler (6857)

Jacques Soussan Pouvez-vous français?

Programmierte Übung zum Verlernen typisch deutscher Französischfehler (6940)